ÚLTIMOS ESCRITOS ECONÔMICOS

Karl Marx

ÚLTIMOS ESCRITOS ECONÔMICOS

Anotações de 1879-1882

Apresentação e organização da publicação
Sávio Cavalcante
Hyury Pinheiro

Tradução
Hyury Pinheiro

Revisão técnica
Olavo Antunes de Aguiar Ximenes
Luis Felipe Osório

Traduzido dos originais em alemão *Randglossen zu Adolph Wagners "Lehrbuch der politischen Ökonomie"* e *Notizen zur Reform von 1861 und der damit verbundenen Entwicklung in Rußland*, em Karl Marx/Friedrich Engels Werke (MEW) (5. ed., Berlim, Dietz, 1987), v. 19, p. 355-83 e p. 407-24.

Direção editorial Ivana Jinkings
Edição Tulio Kawata
Tradução Hyury Pinheiro
Revisão técnica Olavo Antunes de Aguiar Ximenes
Luis Felipe Osório
Coordenação Thais Rimkus
Assistência editorial Carolina Mercês
Preparação Tulio Kawata
Letícia Feres
Revisão Sandra Kato
Coordenação de produção Livia Campos
Capa Heleni Andrade
sobre ilustração de Cássio Loredano
Diagramação Nobuca Rachi e Livia Campos

Equipe de apoio Artur Renzo, Clarissa Bongiovanni, Débora Rodrigues, Dharla Soares, Elaine Ramos, Frederico Indiani, Higor Alves, Isabella Marcatti, Ivam Oliveira, Joanes Sales, Kim Doria, Luciana Capelli, Marina Valeriano, Marlene Baptista, Maurício Barbosa, Pedro Davoglio, Raí Alves, Talita Lima, Tulio Candiotto

CIP-BRASIL. CATALOGAÇÃO NA PUBLICAÇÃO
SINDICATO NACIONAL DOS EDITORES DE LIVROS, RJ

M355u

Marx, Karl, 1818-1883
Últimos escritos econômicos : anotações de 1879-1882 / Karl Marx ; apresentação e organização Sávio Cavalcante; tradução Hyury Pinheiro ; revisão técnica Olavo Antunes de Aguiar Ximenes, Luis Felipe Osório. - 1. ed. - São Paulo : Boitempo, 2020.
152 p. ; 23 cm. (Marx-Engels)

Tradução de: Randglossen zu Adolph Wagners "Lehrbuch der politischen Ökonomie"/Notizen zur Reform von 1861 und der damit verbundenen Entwicklung in Rußland
Inclui bibliografia e índice
ISBN 978-85-7559-746-0

1. Economia. 2. Economia marxista. 3. Capital (Economia). I. Cavalcante, Sávio. II. Pinheiro, Hyury. III. Ximenes, Olavo Antunes Aguiar. IV. Osório, Luis Felipe. V. Título. VI. Série.

20-62461 CDD: 330.122
CDU: 330.85

Vanessa Mafra Xavier Salgado - Bibliotecária - CRB-7/6644

1ª edição: fevereiro de 2020

BOITEMPO
Jinkings Editores Associados Ltda.
Rua Pereira Leite, 373
05442-000 São Paulo SP
Tel.: (11) 3875-7250 / 3875-7285
editor@boitempoeditorial.com.br | www.boitempoeditorial.com.br
www.blogdaboitempo.com.br | www.facebook.com/boitempo
www.twitter.com/editoraboitempo | www.youtube.com/tvboitempo

SUMÁRIO

NOTA DA EDITORA

Neste 27º volume da coleção Marx-Engels, a Boitempo publica dois dos últimos escritos econômicos de Karl Marx – "Glosas marginais ao Tratado de economia política de Adolph Wagner" e "Notas sobre a reforma de 1861 e o que daí se desdobrou na Rússia" –, redigidos entre 1879 e 1882. A organização, apresentação dos textos e das escolhas tradutórias ficaram ao encargo de Sávio Cavalcante e do tradutor Hyury Pinheiro. A editora agradece aos dois pela indicação de publicação, assim como por todo o acurado trabalho de acompanhamento durante a produção do livro. Agradece também aos revisores técnicos Olavo Antunes de Aguiar Ximenes e Luis Felipe Osório, ao economista Edmilson Costa, autor do texto de orelha, a Tulio Kawata, editor da obra, aos profissionais responsáveis pela revisão e diagramação, bem como ao autor da ilustração da capa, o sempre genial Cássio Loredano, e à equipe interna da Boitempo.

APRESENTAÇÃO DAS "GLOSAS MARGINAIS AO *TRATADO DE ECONOMIA POLÍTICA* DE ADOLPH WAGNER": CONTEXTO POLÍTICO, EMBATES INTELECTUAIS E REPERCUSSÕES NA TEORIA SOCIAL CONTEMPORÂNEA

Sávio Cavalcante[1]

"Prefiro queimar meus manuscritos a publicá-los incompletos", teria advertido Karl Marx, segundo relato de seu genro Paul Lafargue. Marcello Musto, ao chamar a atenção a essa declaração com evidentes repercussões editoriais, observa que o autor teria ficado um tanto quanto surpreso se soubesse que manuscritos seus produzidos entre 1844 e 1846 (como os *Manuscritos econômico-filosóficos* e a chamada *A ideologia alemã*) alcançaram, com relativo êxito, o mercado de livros em várias partes do mundo[2].

Na verdade, não há muito com o que se espantar. Trata-se de uma consequência esperada daquilo que o próprio Marx identificou como uma das tendências fundamentais do modo de produção capitalista: a incontornável força social e econômica que faz que os produtos das mãos e cérebros das pessoas que vivem em sociedades onde domina esse modo de produção assumam a forma-mercadoria. Sem condições, é óbvio, de avaliar se o autor se contentaria com a resposta que iremos oferecer para publicar o que ele mesmo preferia ver em cinzas, resta-nos apresentar aos/às leitores/as do presente as razões que nos fizeram sugerir a publicação das "Glosas marginais ao *Tratado de economia política* de Adolph Wagner", escritas entre 1879 e 1880.

O livro de Wagner, objeto das glosas, foi publicado pela primeira vez em 1876. Marx utilizou a segunda edição, de 1879, revista e ampliada. Nessa obra, Wagner buscava oferecer um apanhado geral, com pretensões de síntese, da

---

[1] Professor do departamento de sociologia do Instituto de Filosofia e Ciências Humanas (IFCH) da Unicamp, membro do Centro de Estudos Marxistas (Cemarx-IFCH). Contato: saviomc@unicamp.br. Agradeço a Hyury Pinheiro por, além de traduzir os textos aqui publicados, ter colaborado de diversos modos para esta apresentação. Também agradeço a Larissa Tanganelli pelo diálogo e sugestões a respeito dos caminhos percorridos na antropologia em torno da relação natureza/cultura.

[2] Marcello Musto, *O velho Marx: uma biografia de seus últimos anos (1881-1883)* (São Paulo, Boitempo, 2018), p. 23.

literatura mais influente da economia política até aquele momento e, dentre dezenas de obras e autores indicados, ressaltou a teoria do valor de Marx como de "incomparável importância" no contexto do debate da segunda metade do século XIX. O motivo (nos termos de Wagner): Marx teria encontrado "no trabalho a substância comum do valor de troca" e "no tempo socialmente necessário de trabalho, a medida das grandezas". O resultado, porém, seria insuficiente, pois Marx não teria dado conta de "uma teoria geral do valor"; restringia-se, segundo Wagner, apenas a uma "teoria dos custos" já formulada por David Ricardo.

Produzidas, então, cerca de três anos antes de sua morte, o que está traduzido aqui são as reações de Marx à leitura que Wagner fez de *O capital*, o que concede um caráter especial ao manuscrito, pois o leva a retomar vários conceitos e argumentos de sua crítica da economia política. O caráter fragmentário do material – que combina longas transcrições da obra comentada com respostas ou observações críticas de Marx – não impede que dele sejam extraídas ideias e elaborações com grande repercussão em debates de fundo do marxismo, das ciências humanas em geral e do contexto intelectual europeu envolto em grandes conflitos militares, que, décadas depois, desaguou no fascismo.

"Nunca concebi um 'sistema socialista'"

As ressonâncias das disputas políticas no debate teórico revelam-se já no início do manuscrito. Segundo Wagner, a teoria do valor de Marx seria "a pedra angular de seu sistema socialista". A reação de Marx foi taxativa. Chamou de fantasia essa alegação, "uma vez que eu nunca concebi um 'sistema socialista'". De fato, como atestam outras declarações do autor e o fato de que uma quantidade ínfima de linhas dos extensos volumes de sua obra completa é dirigida diretamente ao que seria "o socialismo" ou "o comunismo", Marx não considerou politicamente pertinente estabelecer modelos rígidos sobre os quais seria erigido um novo modo de produção; algo a ser construído pelos agentes efetivos da mudança – a classe trabalhadora e suas organizações políticas – de acordo com as condições existentes em cada processo histórico, não aquelas que o autor gostaria que existissem. Em vez de elaborar receitas, Marx concentrou seus esforços intelectuais na análise do funcionamento objetivo, e contraditório, do modo de produção capitalista e os modos pelos quais seus limites intrínsecos abriam as portas para processos revolucionários. Evidentemente, por vezes esboçou o que seriam os fundamentos e os princípios de uma sociedade comunista, mas sua arma principal, desde muito cedo reconhecera, era a potência crítica de um pensamento que visava ao questionamento interno e externo do que hoje chamaríamos de "narrativa" liberal da economia política, ou seja, aquele conjunto de ideias e princípios que pressupunha a naturalidade ou irreversibilidade de um mundo e um ser social – reduzido, em última instância, ao indivíduo que possui algo – à imagem e semelhança do capital. Uma ideologia, enfim, que definia "o ser humano" enquanto um sujeito de direito necessariamente interessado em maximizar seus ganhos por meio de trocas contratuais pretensamente não coercitivas, baseadas na "igualdade, liberdade, propriedade e Bentham"[3].

A fantasia que Marx rejeitou e denunciou serve até hoje como instrumento de acusação, e está mais viva do que nunca. A dissolução do bloco soviético três décadas atrás foi tomada pela ideologia burguesa como prova empírica do fracasso das ideias de Marx ao confrontar o "teste da história". O modelo soviético foi convenientemente vinculado como consequência necessária do (nunca elaborado) "sistema socialista de Marx". As forças capitalistas vangloriaram-se de sua própria resiliência e, nessa conjuntura ampla aberta em 1989, sentem-se à vontade em entregar muito pouco das promessas emancipatórias do iluminismo que pareciam ser sua fonte de superioridade moral. Ao designar essas experiências como "o socialismo real", o liberalismo realmente existente não se envergonha de vir acompanhado do neoconservadorismo moral e do estatismo autoritário[4]. Afinal, se "não há alternativas", como vaticinou M. Thatcher, restaria o consentimento ou a resignação. Mas, justamente por não entregar uma forma viável de vida coletiva em sociedade no longo prazo – afinal, ainda segundo Thatcher, "essa coisa de sociedade nem sequer existiria", restando apenas os indivíduos –, a hegemonia neoliberal choca novamente outros ovos da serpente: eis que boa parte do mundo vê, de maneira atônita, a ameaça autoritária, ou mesmo neofascista, irrompendo na esfera política ao oferecer sua solução para crises de toda ordem: econômica, moral e política.

Sobre Adolph Wagner, o *vir obscurus*

Em meados da década de 1880, ao passar um período na Alemanha e ter contato com as obras de Wagner e outros "socialistas de cátedra", Émile

[3] Karl Marx, *O capital: crítica da economia política*, Livro I: *O processo de produção do capital* (trad. Rubens Enderle, São Paulo, Boitempo, 2013), p. 250.

[4] O termo indica "a tendência [...] de monopolização acentuada, pelo Estado, do conjunto de domínios da vida econômico-social *articulado ao declínio decisivo das instituições da democracia política e à* draconiana restrição, e multiforme, dessas liberdade ditas 'formais' de que se percebe, agora, que elas vão por água abaixo, na realidade"; Nicos Poulantzas, *O Estado, o poder, o socialismo* (trad. Rita Lima, São Paulo, Paz e Terra, 2000 [1978]), p. 208.

Durkheim, então organizando o arcabouço teórico a ser mobilizado para a formação do campo disciplinar da sociologia, identificou ali um aspecto decisivo: o evidente déficit moral da economia política utilitarista exigia um projeto no qual a ciência social apreendesse a moral de modo que ela pudesse corresponder à sua função mais importante: "tornar a sociedade possível, ajudar pessoas a viverem juntas sem muitos prejuízos ou conflitos, em resumo, dar salvaguarda aos grandes interesses coletivos"[5].

O que chamava a atenção de Durkheim eram os resultados da produção de um braço da escola histórica alemã que dirigia suas atenções aos desafios da construção do Estado nacional unificado após a Guerra Franco-Prussiana sob a liderança de Otto von Bismarck. Wagner era um dos representantes – assim como Gustav Schmoller, Albert Schäffle, Lujo Brentano e outros acadêmicos – da chamada Jovem Escola Histórica alemã, responsável por criar, em 1873, a Verein für Socialpolitik (Associação para Política Social), organização profissional de discussão e publicação que procurava lidar diretamente com a "questão social" (*die soziale Frage*): o que significa, nessa visão, pensar institucionalmente a burocracia estatal de modo a propor soluções no sentido de absorver as consequências impostas pelo acentuado processo de industrialização capitalista, a emigração rural para os centros urbanos, os conflitos étnicos e culturais entre as regiões e o crescimento das contestações internas, especialmente as fomentadas pelo socialismo internacionalista e revolucionário. O rótulo "socialistas de cátedra" foi então direcionado aos esforços desses acadêmicos, que procuravam formas de regulamentação estatal da economia no sentido de solidificar o projeto nacional alemão.

Intelectualmente, esses autores estavam disputando – assim como o próprio Marx nesse aspecto – o conhecimento já acumulado da economia política no intuito de recuperar um sentido comunitário que o utilitarismo havia abandonado, ao reduzir as relações sociais às motivações egoístas vistas como exigências de uma suposta natureza humana. Foi esse atributo que chamou a atenção de Durkheim na obra de Wagner e Schmoller, pois ambos perceberam a sociedade como um ser que tem "natureza e personalidades próprias", de modo que "expressões comuns, tais como 'consciência social', 'espírito coletivo' e 'o corpo da nação' não têm apenas valor linguístico: expressam fatos eminentemente concretos. Não é correto afirmar que o todo é igual à soma das partes"[6].

---

[5] Émile Durkheim, *Ética e sociologia da moral* (trad. Paulo Castanheira, São Paulo, Landy, 2006), p. 23. Artigo originalmente publicado como "La science positive de la morale en Allemagne", *Revue Philosophique*, v. 24, 1887.

[6] Ibidem, p. 21.

Destaco esse comentário de Durkheim pois ele sinaliza disputas teóricas, com claras implicações políticas, que marcaram a trajetória desses economistas alemães. A de Wagner, para além da carreira acadêmica já proeminente na Universidade de Berlim, é emblemática: foi conselheiro econômico de Bismarck, deputado da Dieta Prussiana entre 1882 e 1885, líder do Partido Social Cristão e do Congresso Social Evangélico e membro da Câmara Alta do Parlamento prussiano entre 1910 e 1917, tendo influenciado debates sobre reformas, especialmente aquela relativa à questão agrária. Foi considerado um dos expoentes do sistema "socialista de Estado", influente no contexto imperial alemão[7].

O sistema preconizado por Wagner consistia em uma estrutura corporativa de representação política, um modelo organicista, capaz dar solução à questão social e de transformar o viés individualista da economia ao substituí-la por uma "economia social" ou "economia nacional" (*Volkswirtschaft*), na qual "os interesses permanentes e genuínos do gênero (*Gattung*), do povo como um todo, deverão ser sempre o critério para decidir a maneira e em que medida os desejos e objetivos das classes e dos indivíduos serão satisfeitos"[8].

Construir uma economia nacional genuína exigia lidar com o fundamento cultural e religioso do povo, o que colocou Wagner, como tantos nacionalistas alemães, necessariamente diante da "questão judaica". Os trabalhos de Clark e Kedar discutem, nesse sentido, as controversas relações do autor com o antissemitismo. Embora tenha negado adesão direta ao movimento, a atuação política de Wagner foi explicitamente marcada pela plataforma antissemita, justificada como legítima na medida em que as forças do grande capital que incitavam a anomia eram vinculadas à comunidade judaica, resistente, então, a compor um "corpo nacional" coeso. Clark identifica inúmeros pronunciamentos de Wagner

---

[7] Evalyn Clark, "Adolf Wagner: from National Economist to National Socialist", *Political Science Quarterly*, v. 55, n. 3, 1940, p. 381. Segundo Asaf Kedar: "O conservadorismo do 'socialismo de cátedra' de economistas políticos como Gustav Schmoller e Adolph Wagner, o socialismo nacional burguês-reformista de Friedrich Naumann, o antissemitismo nacionalista de Theodor Fritsch e Friedrich Lange, enfim, todos, assim como outros, deram voz de maneiras diferentes a uma leitura nacionalista da 'questão social' e de suas possíveis resoluções. Esse empreendimento não apenas sobrepôs fronteiras nacionais a uma concepção de justiça social que poderia ser articulada em termos não nacionais. Em vez disso, abarcava uma reconceitualização abrangente da vida social e da reforma social, e uma marginalização da preocupação com a justiça e emancipação sociais em favor de uma preocupação com a ordem nacional, a homogeneidade e o poder"; Asaf Kedar, *National Socialism before Nazism: Friedrich Naumann and Theodor Fritsch, 1890-1914* (doutorado, Berkeley, Universidade da Califórnia, 2010), p. 7.

[8] Adolf Wagner citado em Evalyn Clark, "Adolf Wagner: from National Economist to National Socialist", cit., p. 395.

que denunciavam a corrupção "econômica, social e moral" promovida pela "raça dos judeus"[9].

Foi por essa via que o legado da obra e atuação política de Wagner foi reivindicado, posteriormente, pelo ideário fascista do nacional-socialismo. Embora seja impreciso traçar uma linha de continuidade necessária entre os dois contextos, suas propostas de regulamentação corporativa da ordem capitalista por meio de um programa nacional-socialista e as críticas contundentes aos que corrompem o corpo nacional alemão tornaram possível que, após sua morte, já sob o domínio nazista, a efeméride de cem anos de seu nascimento fosse saudada por militantes nacional-socialistas declarados, como Wilhelm Vleugels, como uma celebração importante do "maior defensor da Economia Nacional Alemã", um "líder do socialismo alemão"[10].

Ler *O capital* ou ... "Meu método *analítico* não parte do ser humano, mas do período da sociedade economicamente dado"

Na polêmica "Advertência aos leitores do Livro I de *O capital*", feita para a edição francesa de 1969 e reproduzida pela edição brasileira da Boitempo de 2013, Louis Althusser sugere duas dificuldades principais que enfrentam os leitores da obra máxima de Marx. A primeira é ideológica e, em última instância, política: há uma divisão entre os leitores que possuem experiência direta com a exploração capitalista e aqueles que não a têm, "sobretudo se forem muito eruditos". Para os últimos, há uma incompatibilidade política entre o conteúdo teórico do livro e as ideias mais comuns pelas quais essas pessoas elaboram o mundo e informam suas práticas. A segunda dificuldade é de ordem teórica: há um sistema com conceitos, articulados em uma problemática específica, que põe em movimento noções abstratas para compreensão do objeto de investigação, que não é a Inglaterra (ou a Alemanha ou a França) do século XIX, mas o modo de produção capitalista.

Retomo essas dificuldades apontadas por Althusser, pois ambas se apresentam de alguma maneira na leitura que Wagner faz de *O capital*, o que explica também a reação um tanto quanto indignada de Marx ao ver fundamentos de suas teses sendo mal compreendidos ou mesmo deturpados. A importância das "Glosas..."

---

[9] Ibidem, p. 400.

[10] Wilhelm Vleugels, "Adolph Wagner, Gedenkworte zur 100ten Wiederkehr seines Geburtstages" [Adolph Wagner, memorial pelo seu centésimo aniversário], *Schmoller's Jahrbuch fur Gesetzgebung*, citado em Evalyn Clark, "Adolf Wagner: from National Economist to National Socialist", cit., p. 410. O texto aparece citado também em outras publicações como "Adolph Wagner: memorial pelo centésimo aniversário *de um socialista alemão*".

está no fato de que, ao reagir a essas incompreensões, Marx retoma – último texto conhecido e não publicado de Marx em que ele trata da crítica da economia política em geral e da teoria do valor em particular – o que seria o sentido mais preciso de suas formulações construídas como crítica da economia política, material que oferece aos/às leitores/as do presente a oportunidade singular de avaliar o que Marx pensa do que fizeram de sua obra. Com isso, não se quer afirmar que o manuscrito deva ser lido como a palavra final sobre como ler *O capital* ou alguma pretensão que só faria sentido num registro de interpretação de textos sagrados. Trata-se, em vez disso, de entender o que mais o incomodou e quais as ênfases que deu em suas respostas. Para oferecer um quadro mais amplo do debate, Hyury Pinheiro também traduziu trechos do *Tratado de economia política* em que Wagner aborda o problema do valor na literatura dos economistas políticos[11]. As duas dificuldades apontadas podem ser identificadas por meio de dois problemas ressaltados por Marx na leitura de Wagner. Ambos sinalizam para questões cruciais da abordagem de Marx do modo de produção capitalista.

O primeiro ponto diz respeito à crítica de Wagner a Marx – e também a Rodbertus – por não apenas reduzir o problema do valor ao dos custos de produção, como também retirar o papel do capitalista da geração de valor. Segundo Wagner, determinar o valor somente pelo "desempenho do trabalho" seria um procedimento arbitrário, na medida em que pressuporia a viabilidade de um processo de produção não mediado pela atividade de capitalistas privados, os quais "formam e empregam o capital". Para Wagner, não seria correto considerar que o valor é apenas gerado por uma "subtração ao trabalhador", ou seja, seria equivocado não levar em conta que "o ganho de capital é um elemento constitutivo do valor".

A despeito da provocação do próprio Marx – que vê aí as "orelhas de burro" do autor –, o questionamento de Wagner tem raízes mais profundas do que se apresenta à primeira vista, pois é sintoma da barreira ideológica imposta pela estrutura jurídica burguesa, que, ao viger, tem como efeito justamente neutralizar a relação de exploração[12]. Assim como não era um roubo (e imoral) se valer

---

[11] O texto está disponível para download gratuito na página do livro no site da Boitempo: <https://www.boitempoeditorial.com.br/produto/ultimos-escritos-economicos-910>.

[12] Sobre o tema, Marx escreve nas "Glosas...": "Aqui o homem obscuro (*vir obscurus*) confunde alhos com bugalhos. Para ele há, primeiro, o direito e, então, o intercâmbio; na efetividade, isso se dá ao contrário: primeiro há o *intercâmbio* e então se desenvolve uma *ordenação do direito*. Eu expus (*dargestellt*) na análise da circulação de mercadorias que, na permuta (*Tauschhandel*) desenvolvida, aqueles que trocam se reconhecem tacitamente como pessoas iguais e como proprietários dos respectivos bens que são trocados por eles; já *fazem* isso enquanto oferecem seus bens uns aos outros e tornam o comércio entre uns e outros um consenso" (ver, neste volume, p. 71).

do trabalho escravizado ou de servos em outros modos de produção, nunca seria um roubo acumular capital por meio da compra de trabalho assalariado de pessoas que não têm alternativa a não ser vendê-lo sob condições não impostas por elas mesmas. Segundo Marx,

> Apresento, ao contrário, o capitalista como funcionário necessário da produção capitalista e demonstro, muito minuciosamente, que ele não apenas "subtrai" ou "*rouba*", mas compele a *produção de mais-valor*; portanto, o que subtrai ajuda primeiro a criar. Mostro detalhadamente, além disso, que, dentro da troca de mercadorias, mesmo se *apenas equivalentes* fossem trocados, o capitalista – assim que paga ao trabalhador o valor efetivo de sua força de trabalho –, com todo o direito, isto é, o direito correspondente a esse modo de produção, ganharia o *mais-valor*. Tudo isso não faz do "ganho de capital" *elemento "constitutivo"* do valor, mas evidencia apenas que há, inserido no valor *"constituído"* sem a mediação do trabalho do capitalista, um pedaço do qual ele pode se apropriar "juridicamente", isto é, sem infringir o direito correspondente à troca de mercadorias.[13]

Ao chamar a atenção para uma dificuldade de leitura enfrentada por aqueles/as que não têm a experiência de exploração direta de seu trabalho por uma empresa capitalista, Althusser evoca a determinação[14] social do conhecimento que, no contexto em que vivemos, é mobilizado em debates, acadêmicos ou políticos, sobre o lugar de fala. Quanto a esse aspecto, é importante reconhecer a longa trajetória percorrida na tradição materialista sobre esse embate epistemológico caro às discussões do presente – que mostra a relevância de um outro conjunto de experiências vividas, que necessariamente se articulam às experiências de classe, como aquelas determinadas pela opressão racial, étnica e dissidente de gênero e sexualidade.

Contudo, como observa Althusser, existe uma outra dificuldade a respeito da compreensão e produção do conhecimento. Essa segunda dificuldade, de ordem teórica, pode ser exemplificada por meio do difícil tratamento do conceito de valor pelo campo da economia política. A disputa – que se dava, importante registrar pelo que vem adiante, em várias línguas – consistia em definir a quais significados a palavra "valor" deveria, de fato, corresponder. Wagner se alinha à concepção de valor em geral como derivada da "avaliação do valor", correspondendo, assim, ao que se entendia como valor de uso. É digno de nota, como também observa Althusser, que Marx reconhece aqui uma dificuldade

---

[13] Ver p. 44 deste volume.

[14] Seguindo Raymond Williams, *Marxism and Literature* (Oxford, Oxford University Press, 1977), utilizo o termo "determinação" não no registro de exterioridade abstrata (já ocupada pela figura de Deus, da Natureza ou da História), mas no sentido de *imposição de limites e exercício de pressões objetivas que tanto incidem sobre a reprodução das relações vigentes* como criam contradições ao jogar os sujeitos contra esses limites.

imposta pelo fato de que conceitos diferentes são nomeados com a mesma palavra: valor.

Ao iniciar a exposição da forma mercadoria em *O capital*, Marx precisou de apenas quatro parágrafos para alertar que o objeto de investigação a ser perseguido não dizia respeito à utilidade das coisas. Relegou à "merceologia" os problemas derivados do exame (classificação, por exemplo) do valor de uso. Evidentemente, se algo não satisfizesse alguma carência socialmente construída – fosse ela "do estômago ou da fantasia" –, não haveria produção de mercadorias. Porém, valores de uso, numa circulação mercantil, são apenas portadores (*Träger*) materiais de valores de troca (que passam a existir apenas por meio da relação de equivalência quantitativa entre, pelo menos, duas mercadorias). Valores de troca constituem, por sua vez, a forma de manifestação de um terceiro fator, distinto logicamente dos dois primeiros: o valor, isto é, o tempo de trabalho (abstrato) socialmente necessário para a reprodução de determinada mercadoria – não de seu protótipo ou do conhecimento e tempo de trabalho necessário para produzir o modelo original, mas sua reprodução em série destinada à venda[15]. Nas "Glosas...", ao ver em Wagner a confusão criada pela colocação do problema nesses termos, Marx alerta: o que há de comum entre valor e valor de uso é apenas a palavra "valor" em ambos.

> Quando o sr. Wagner diz que isso [teoria de Marx] não é "uma teoria geral do valor", está completamente certo em seu sentido, pois compreende por teoria geral do valor o ruminar da palavra "valor", o que também o capacita a permanecer na confusão professoral alemã-tradicional entre "valor de uso" e "valor", já que ambas têm em comum a palavra "valor".
>
> *[O valor de uso] não exerce, naturalmente, o papel do seu contrário, do "valor", que nada tem em comum com ele além do fato de que "valor" apareça no nome "valor de uso".*[16]

A questão é tudo, menos um detalhe de menor importância. Quando pensou num "sujeito" em *O capital*, Marx anota nas "Glosas..." que este não é nem o valor nem o valor de troca, mas sim a mercadoria. E, ao apresentar esse "sujeito", fez questão de assinalar, já no segundo parágrafo do primeiro capítulo: "A mercadoria é, antes de tudo, um objeto externo, uma coisa que, por meio de suas propriedades, satisfaz necessidades humanas de um tipo qualquer.

---

[15] Não é desprezível chamar a atenção para o fato de que se trata de reprodução de mercadorias, e não a produção do modelo original, especialmente para o debate, já extenso, acerca de valor e trabalho imaterial. A esse respeito, ver Leda Paulani, "Acumulação e rentismo: resgatando a teoria da renda de Marx para pensar o capitalismo contemporâneo", *Revista de Economia Política*, v. 36, n. 3, 2016, p. 144.

[16] Ver p. 42 e 59 deste volume.

A natureza dessas necessidades – se, por exemplo, elas provêm do estômago ou da imaginação – não altera em nada a questão"[17]. Se a utilidade de uma coisa é o que faz dela um valor de uso, essa característica não guarda relação necessária com o tempo de trabalho exigido para sua apropriação. Valores de uso podem custar pouco, muito ou nenhum tempo de trabalho. O objeto do conhecimento a respeito do que faz uma coisa ser útil, entre tantas possibilidades historicamente determinadas de utilidade, como maior ou menor dispêndio de tempo, não deixa de estar presente, mas ele é subsumido a uma lógica de valorização que responde a outra determinação, a acumulação de capital enquanto riqueza abstrata, desprendida dos valores de uso. A colocação do problema nesses termos só é possível se a economia política é tratada por uma teoria crítica, ou seja, uma versão que busca ir além das formas e princípios pelos quais os fenômenos se apresentam aos agentes sociais.

Trata-se de um começo revolucionário do ponto de vista epistemológico, pois, em poucos parágrafos, Marx demarca um campo de análise de modo a contornar noções subjetivas do valor, no interior das quais o sentido de exploração do trabalho seria, como é até hoje, convenientemente apagado em nome da variabilidade de "atribuições de valor" realizadas pelos agentes sociais. Se o valor é determinado, ainda que em parte, pela demanda, definida como resultado, na esfera da circulação, de diferentes avaliações de consumidores – na ciência econômica neoclássica hegemônica, valor se torna sinônimo de preço –, perde-se a referência objetiva acerca da exploração realizada sobre a força de trabalho utilizada na esfera da produção dessas mercadorias[18].

A apreensão do modo de produção capitalista – e, novamente, não com o que se trabalhava e o que se consumia na Inglaterra do século XIX – só pode ser alcançada se a dimensão da utilidade for recolocada em outros termos: "o que há, entretanto, para dizer da mercadoria, na medida em que ela é valor de uso, eu disse então em poucas linhas", pois, quando se pretende analisar a mercadoria, é preciso "manter afastadas todas as conexões (*Beziehungen*) que não dizem respeito ao objeto de análise"[19].

---

[17] Karl Marx, *O capital*, Livro I, cit., p. 113.

[18] Ibidem, p. 251: "Ao abandonarmos essa esfera da circulação simples ou da troca de mercadorias, de onde o livre-cambista *vulgaris* (vulgar) extrai noções, conceitos e parâmetros para julgar a sociedade do capital e do trabalho assalariado, já podemos perceber uma certa transformação, ao que parece, na fisiognomia de nossas *dramatis personae* (personagens teatrais). O antigo possuidor de dinheiro se apresenta agora como capitalista, e o possuidor de força de trabalho, como seu trabalhador. O primeiro, com um ar de importância, confiante e ávido por negócios; o segundo, tímido e hesitante, como alguém que trouxe sua própria pele ao mercado e, agora, não tem mais nada a esperar além da... despela".

[19] Ver p. 59 deste volume.

Contudo, isso não significa dizer que o valor de uso se torna alheio ao objeto da ciência, acusação de Wagner que Marx toma como descabida, na medida em que, por exemplo, nada se entenderia do mais-valor se o capital não se valesse de um valor de uso "específico", ao comprar a mercadoria força de trabalho. Assim como também se perderia de vista a dupla dimensão do trabalho: trabalho concreto (produtor de valores de uso) e trabalho abstrato (produtor de valor). Porém, o decisivo na explicação é entender a forma específica na qual o valor de uso passa a existir socialmente, pergunta nunca feita pelos economistas políticos até Marx, por pressuporem que essa seria a forma mais "natural", condizente com atributos supostamente invariantes do "ser humano".

Esse apontamento também sinaliza o cuidado de Marx – para não dizer, em muitos casos, o desconforto[20] – com abstrações como "o ser humano", "o trabalho" e "a produção", que, embora possam ter validade para todas as épocas e sejam cruciais para uma teoria materialista[21], elas próprias são "um produto de relações históricas e só possuem plena validade para tais relações e no seu interior"[22].

Embora o modelo liberal utilitarista se apresente como o mais adequado para lidar com a variabilidade individual da ação econômica – ao desejar e escolher comprar algo, o indivíduo exerceria o grau máximo de soberania sobre si mesmo –, essa visão não abandona propensões gerais sobre como os indivíduos fazem os cálculos que subsidiam essas escolhas. Assim, as tentativas de elaborar uma teoria geral do valor baseada na utilidade e descurada de determinações históricas demandavam, quase inevitavelmente, postular necessidades em geral. Estava aberta, assim, uma porta – atravessada com oportunismo e conforto, no século XX, pelos neoliberais – acerca da ação humana "em geral".

Nas "Glosas...", a reivindicação althusseriana para superação do humanismo teórico – problemática que busca respostas, ainda que distintas, à pergunta "o que é o homem?" – mostra-se relevante e ganha força. Marx percebe que as elaborações de Wagner não logram superar limites de outros modelos econômicos, pois também se valem de considerações com pretensões generalizantes sobre como os homens agem e os fins que perseguem[23]. Essa maneira de

---

[20] Ver Jacques Bidet, *Explicação e reconstrução de* O capital (Campinas, Ed. da Unicamp, 2010).

[21] Questão enfrentada também no cap. 5 de *O capital.*

[22] Karl Marx, "O método da economia política (1857)", trad. Fausto Castilho, *Crítica Marxista,* n. 30, 2010.

[23] Por exemplo, no *Tratado de economia política,* Wagner explicita seu pressuposto de que, "no que diz respeito aos *meios de produção (meios de aquisição),* contudo, o empenho do ser humano em promover a consecução de todas as finalidades e quereres por meio do aumento do patrimônio não tem, via de regra, nenhum limite". Ver *Blog da Boitempo,* disponível on-line.

proceder irá se chocar com a problemática de *O capital*, pois Wagner "nunca notou que meu método *analítico* [...] parte não *do* ser humano, mas do período da sociedade economicamente dado"[24].

Mas seria o materialismo de Marx também refém de uma lógica geral a respeito da produção e reprodução humanas? Embora denunciasse o utilitarismo que informa as "robinsonadas" da economia política, Marx teria recorrido a dispositivos análogos?

"A carne não está diante do hindu como meio de nutrição"

É interessante notar como as "Glosas..." aparecem com destaque em obras de cientistas sociais que lidaram diretamente com essa questão. Vale a pena registrar, nesse sentido, a forma como o manuscrito é interpretado em *Cultura e razão prática*, publicado por Marshall Sahlins em 1976. Nesse livro, o antropólogo estadunidense elaborou uma contundente crítica às teorias que imaginam ser possível considerar uma razão prática – portanto, geral entre os seres humanos que precisam sobreviver e se reproduzir "biologicamente" – dissociada da significação cultural. O modelo utilitarista é o expoente máximo dessa separação: supõe que, em toda pessoa ou grupo humano, exista uma tendência natural – algo como uma "programação" original – que incita uma racionalização das relações entre meios e fins no intuito de promover a maximização da riqueza material e economia de tempo. Nessa ficção, com repercussões evidentes para legitimar uma forma de dominação, a sociedade burguesa ocidental, louvando sua eficiência produtiva, aparece como aquela que mais corresponde a essa tendência supostamente natural.

Ocorre que, para Sahlins, embora o marxismo se apresente como contraponto crítico da sociedade burguesa, seria um conhecimento produzido "dentro dos termos daquela sociedade", pois não abandona, em última instância, a noção de produção enquanto "processo natural-pragmático de satisfação das necessidades". Mesmo que se declare crítico – e a despeito de o próprio Marx ter aberto um caminho de superação no qual a natureza é sempre "natureza humanizada"; produto, portanto, da cultura humana[25] –, o desfecho seria uma aliança

[24] Ver p. 61 deste volume.

[25] Marshall Sahlins, *Cultura e razão prática* (trad. Sérgio Tadeu de Niemayer Lamarão e Luís Fernando Dias Duarte, Rio de Janeiro, Zahar, 2003 [1976]), p. 129. Nessa obra, o autor reconhece a existência de "dois marxismos": enfatiza como registro dominante um Marx pré-simbólico, porém sinaliza para um "segundo marxismo" que, ao dotar de cultura o que se

do marxismo com a economia burguesa, pois "esconde o sistema significativo na práxis para explicação prática do sistema"[26].

Destaco essa polêmica, pois as "Glosas..." cumprem um papel importante na argumentação de Sahlins ao funcionar como prova da continuidade, no fim de vida de Marx, de certas disposições de uma antropologia pré-simbólica já anunciada pelo autor em meados da década de 1840, especialmente nos manuscritos reunidos na chamada *Ideologia alemã* – especialmente as referências de Marx e Engels aos "primeiros atos históricos": comer, beber, se reproduzir. Essa disposição pré-simbólica consistiria em destacar um sistema de ordem prática no qual a linguagem é essencialmente instrumental, nascida da tentativa de dominar o mundo, de modo que "suas classificações são interpretadas das distinções utilitárias estabelecidas pela práxis, signos cujo valor determinado é uma função utilitária"[27]. Sahlins, que cita o manuscrito por meio do livro de Alfred Schmidt, *O conceito de natureza em Karl Marx* – o qual via nas "Glosas..." uma genealogia marxista do pensamento conceitual –, encontra em Marx uma teoria do "pensamento selvagem [...] que é realmente puro Malinowski".

No capítulo "A antropologia e os dois marxismos", Sahlins defende a homologia Marx/Malinowski apresentando, em uma coluna, um trecho das "Glosas..." (citado indiretamente via o livro de Schmidt) e, em outra, um excerto de *Magia, ciência e religião* (1954) do antropólogo de origem polonesa. O aspecto fundamental é o seguinte: valendo-se do mesmo expediente usado por Malinowski para criticar E. Taylor, Marx critica o idealismo de Wagner por supor que os homens mantêm, na origem, uma relação teórica com os objetos do mundo, ao que Marx sugere que, nesse início, os homens começam, como havia elaborado em *A ideologia alemã* quatro décadas antes, se apropriando ativamente dos objetos do mundo em razão da exigência prática de se manterem vivos e se reproduzirem. Os seres humanos começariam, portanto, com "a produção". Assim como em Malinowski, a linguagem, nesse "início", é a da própria natureza que fala, sem utilizar metáforas. Para Sahlins, ambos operam num registro pré-simbólico. Marx, assim, omitiria que "os homens começaram *como homens*, distinto de outros animais, precisamente quando experimentaram o mundo como um conceito (simbolicamente)"[28].

Não tenho a pretensão de desenvolver, ou mesmo sugerir, alguma tese original a respeito desse debate que, nos termos aqui estipulados, é expresso

chamava de razão prática e conceber que todo ato produtivo é socialmente determinado, faz que "o etnólogo moderno deva reconhecer em Marx um irmão antropológico". Ibidem, p. 136.

[26] Ibidem, p. 166.

[27] Ibidem, p. 142.

[28] Ibidem, p. 143.

como uma oposição entre produção/razão prática × linguagem/cultura. De certa maneira, essa disputa poderia ser simplesmente suspensa se reconhecermos que, para Marx, não existe ação humana não mediada pelo social ou pela cultura, o que se apresenta claramente, no próprio manuscrito, ao afirmar que "a carne não está diante do hindu como meio de nutrição". Do mesmo modo que, para Sahlins, "em um certo sentido, a natureza é sempre suprema. Nenhuma sociedade pode viver de milagres, enganando-se com ilusões. Nenhuma sociedade pode deixar de prover meios para a continuação biológica da população ao determiná-la culturalmente – não pode negligenciar a obtenção de abrigo na construção de casas, ou de alimentação ao distinguir comestíveis de não-comestíveis"[29]. Não se trata, enfim, de criar caricaturas que reproduzam uma oposição ligeira entre proposições materialistas e idealistas.

Se chamo a atenção a esse ponto é porque em Sahlins – e, seria possível dizer, em boa parte das ciências sociais que se anuncia como alternativa à descrição "econômica" do mundo – o argumento vai além: a noção, mesmo que só "na origem", de uma razão prática impediria compreender a lógica cultural da produção capitalista, incluindo *o valor* das mercadorias produzidas nesse sistema.

Sahlins dá como exemplo a preferência, segundo uma ordem de classificação hierárquica do consumo, de partes da carne bovina: há muito mais oferta de filé ou alcatra do que língua e tripas em um animal dessa espécie, porém o filé tem mais "valor social" do que a língua e seria isso que provoca "a diferença em seu valor econômico". Sendo impossível tirar dessa escolha uma determinação biológica referenciada no potencial nutritivo, o que se revelaria é "toda uma ordem totêmica que une em uma série paralela de diferenças o status das pessoas e o que elas comem"[30]. Os mais pobres comem "os pesos mais baratos, mais baratos porque socialmente são pesos de carne de qualidade inferior". Seria também impossível responder, segundo uma razão prática, por que a carne bovina, e não canina, é consumida nos Estados Unidos, já que ambas são potencialmente comestíveis e acessíveis.

E é nesse ponto que a argumentação de Sahlins aponta para uma dificuldade: para o autor, seria possível concordar com Marx quando ele identifica a equivalência de valores de troca em quantidades de trigo ou ferro, mas, com o materialismo, "nunca se saberá por que se produz trigo ou ferro", ou qualquer outro elemento. Enfim, nada se saberá sobre a lógica cultural que informa o que

---

[29] Ibidem, p. 168.

[30] Ibidem, p. 176.

é produzido: "através de *O capital*, essas questões continuam sem resposta, na suposição de que as respostas sejam evidentes por si mesmas"[31].

Esse ponto merece uma reflexão mais detida. Marx, de fato, relega à "merceologia" o estudo da ordem classificatória que incide sobre os valores de uso. Não seria exagero dizer que, em verdade, esse é um campo já tradicional de pesquisa para sociólogos, antropólogos, historiadores e outros que, partindo ou não de uma teoria materialista, buscam compreender como a dominação (de classe, por exemplo) também é produzida por uma lógica simbólica que faz que uma coisa específica, dentre um campo múltiplo de possibilidades, seja selecionada socialmente como útil e, portanto, só assim consumida. Ou mesmo os esforços das abordagens que buscam articular as correntes teóricas da psicanálise à compreensão dos desejos que são mobilizados na produção de mercadorias.

Se, enfim, Sahlins tem motivos de sobra para questionar a limitação de uma análise econômica que prioriza a explicação de *como* as coisas são produzidas, e não *o que* é produzido, isso não concede à sua posição, necessariamente, um ponto de vista privilegiado para abordar "o valor econômico". A rigor, Sahlins está equivocado quando afirma que Marx nunca respondeu à pergunta acerca da determinação cultural do valor de uso ou que deixou de respondê-la porque a resposta seria evidente, da ordem da razão prática.

Como a polêmica com Wagner permite visualizar, o que Sahlins vê como pergunta sem resposta é, em verdade, uma pergunta que Marx conscientemente contornou para poder adentrar em dimensões do problema, estes sim, sem respostas suficientes na economia política. A começar por: se todos os contratos na sociedade capitalista pressupõem a troca de equivalentes, o que concede um fundamento de justiça às relações comerciais (incluindo a compra e venda de força de trabalho), de onde vem o excedente (mais-valor) que permite a acumulação de capital?

Pode parecer falta de ambição ou descuido cultural não querer se dizer nada sobre o que se está sendo trocado, mas é este o segredo que Marx revela: no modo de produção capitalista, o valor de uso, não importa qual seja, é subsumido à produção de mais-valor, ou seja, o que está sendo produzido é apenas um meio para um fim de acumulação e valorização permanente do capital.

Não se trata de uma escolha arbitrária: Marx identifica justamente nesse ponto a naturalização que contamina ideologicamente a economia política burguesa. Nenhum autor antes dele havia se perguntado o essencial: por que os produtos assumem essa forma social e não outra, independentemente do que está sendo produzido?

---

[31] Ibidem, p. 150.

É fundamental observar, contudo, que Sahlins está sinalizando os equívocos de um modelo de ciência que, para dar conta da "materialidade", pressupunha uma lógica de sobrevivência universal operando numa natureza indistinta, na qual o ato de se alimentar, por exemplo, pudesse ser dissociado de uma significação cultural específica. O corolário dessa lógica via-se, principalmente em biólogos evolutivos, quando se imaginava explicar a reprodução e a mudança por meio da contagem de quantidade de calorias de cada alimento selecionado e da análise de vantagens comparativas de cada tipo de ação produtiva ou mesmo das condições geográficas ou climáticas propícias para uma reprodução social "mais eficiente" em termos de economia de tempo. Esta é, de fato, uma lógica que não rompe com o *homo economicus*.

Ao fazer isso, Sahlins alertou para a lógica de dominação cultural por detrás da redução de certas sociedades ao que seria uma economia de subsistência, retirando delas toda a complexidade do sistema simbólico inerente às suas existências. No mesmo ano da publicação de *Cultura e razão prática*, Sahlins também redige um forte questionamento do então influente ramo da sociobiologia, de modo a identificar como esse modelo de ciência continha uma dimensão ideológica intrínseca ao capitalismo competitivo do Ocidente, o que se expressava por uma forma de explicação centrada num indivíduo – e num tipo de cálculo – estranho e alheio às culturas que pretendia compreender[32].

No entanto, não partir do "ser humano" em geral, mas do período da sociedade economicamente dado, permitiu a Marx colocar a ênfase na relação social que, materialmente, reproduz as condições de vida num modo de produção capitalista. Um hambúrguer pode ser de carne de porco, vaca, cavalo ou mesmo vegano (e um complexo sistema simbólico opera nessa classificação), mas, assumindo a forma do valor na mercadoria, isto é, sendo objeto de produção industrial já orientado desde seu início para a venda e subsumido à finalidade de acumulação de capital, o valor desses diferentes hambúrgueres – e não seus preços, para os quais vigem determinações adicionais[33] – será determinado pela quantidade de tempo de força de trabalho comprada do/a trabalhador/a que, ao ser contratado/a, terá que aceitar produzir qualquer tipo de carne.

Há uma inquietação de fundo que, no limite, aproxima a crítica de Wagner à de Sahlins. Por motivos diferentes, ambos recusam que o conceito de valor seja aplicado apenas à esfera da produção de mercadorias e não levem em conta "a atribuição de valor" dos agentes que participam das trocas na esfera

---

[32] Marshall Sahlins, *The Use and Abuse of Biology: an Anthropological Critique of Sociobiology* (Michigan, University of Michigan Press, 1976).

[33] Ver Karl Marx, *O capital: crítica da economia política*, Livro III: *O processo global da produção capitalista* (São Paulo, Boitempo, 2017).

da circulação. Não deixa de ser compreensível que essa disposição seja mobilizada por diferentes abordagens teóricas e políticas, pois, em certa medida, a experiência vivida dos sujeitos, criando e reproduzindo sistemas de classificação culturais, provoca efeitos objetivos nas práticas de consumo. Há também toda uma discussão, desenvolvida nas próprias correntes marxistas, que lidou com os desafios de articular uma noção de valor medida em tempo com outras determinações que incidem sobre a expressão monetária, de preços, das mercadorias[34].

Todavia, a insistência de Marx em disputar os sentidos do valor[35] de modo a privilegiar a forma em detrimento do conteúdo e atrelá-lo, em última instância, ao tempo de trabalho socialmente necessário para a produção de mercadorias era decorrência de um projeto tanto teórico quanto político que, ao identificar *a diferença* da exploração capitalista do trabalho em relação a outras formas sociais de dominação (como as que se valiam das energias e dos corpos submetidos à escravidão ou à servidão), pretendia fornecer as bases teóricas à luta dos/as trabalhadores/as para a destruição desse sistema.

A crítica de Sahlins – como de parte importante das ciências sociais contemporâneas – foi a de questionar o que seria um determinismo econômico ou produtivista nessa empreitada: ao colocar a ênfase na produção, Marx seria um crítico do *homo economicus* que não logrou abandonar o pacote ideológico completo que o acompanha. Gostaria de finalizar essa apresentação levantando um problema que pode nos levar a um diagnóstico distinto.

De fato, especialmente em seu início, pode ser identificado na obra de Marx um conjunto de elaborações que pretendia formular uma teoria geral da história e lidar com as mudanças de um modo de produção a outro. Nessa dimensão, ainda que procurando contornar os dispositivos teleológicos, lógicas internas ao capitalismo e uma noção particular sobre o humano podem ter sido transpostas a outras formas sociais sem as mediações necessárias. Porém, ao se concentrar no funcionamento do modo de produção capitalista – privilegiando, assim, "leis gerais" e uma teleologia do capitalismo, e não da história –, Marx encontra um sistema produtivo que operou uma transformação qualitativa sem precedentes ao retirar a viabilidade de existência em formas comunitárias de organização da vida, nas quais o mercado, se estava presente, se mostrava apenas como uma

[34] Ver, para um panorama amplo da discussão: Alfredo Saad Filho, *O valor de Marx* (Campinas, Ed. da Unicamp, 2011).

[35] Interessante, nesse sentido, notar as diversas passagens das "Glosas..." em que Marx reconhece dificuldades impostas pela língua, como o fato de que, em gótico, havia apenas uma palavra para valor e dignidade.

opção de troca, e não um imperativo de sobrevivência[36]. Mais do que isso, uma forma de valorização econômica que "só desenvolve a técnica e a combinação do processo de produção social na medida em que solapa os mananciais de toda a riqueza: a terra e o trabalhador"[37].

O capitalismo – e toda a ideologia dominante, liberal e utilitarista, que o acompanha – não é uma narrativa que concorre com outras formas de ver o mundo numa esfera pública de debate racional: é um processo material e objetivo que promove violentamente a expropriação de terras e formas de vida que resistem ao capital e que, ao prometer eficiência e justiça, busca a mercadorização de todas as instâncias sociais, forçando para que o individualismo e a competição sejam uma necessidade de sobrevivência, e não uma escolha entre outras com retornos equivalentes.

Quando uma política social ou econômica é formulada nesses termos, ela não está apenas ignorando a variabilidade da existência humana em nome de um modelo abstrato de cálculo individual racional; ela está, sobretudo, selecionando "vencedores" e retirando a possibilidade material de formas sociais que poderiam organizar o mundo de uma maneira distinta. Como observa Mauro Almeida a partir da obra de Marcel Mauss, se a força de trabalho é uma mercadoria, a sociedade se vê como isenta da responsabilidade pela reprodução do trabalhador[38]. A ênfase de Marx está inegavelmente na esfera da produção do valor, isto é, nas relações sociais de produção específicas pelas quais se efetiva a exploração capitalista do trabalho[39]. Uma ênfase no plano do conhecimento

---

[36] Ver, para tanto, Ellen M. Wood, *A origem do capitalismo* (trad. Vera Ribeiro, Rio de Janeiro, Zahar, 2001).

[37] Karl Marx, *O capital*, Livro I, cit., p. 574.

[38] Mauro W. B. Almeida, "Marxismo e antropologia", em Caio Toledo et al. (orgs.), *Marxismo e ciências humanas* (São Paulo, Xamã, 2003), p. 84.

[39] O que exige, por sua vez, enfrentar algo que Marx deixou em aberto: levar em consideração que só existe acumulação de capital se a reprodução social da mercadoria força de trabalho for também garantida, o que, até hoje, se efetiva, em geral, de forma gratuita ao capital em razão da opressão praticada sobre as mulheres numa unidade produtiva distinta, a família. Discutir as razões que explicam a ausência do tratamento dessa questão em Marx, pelo menos no mesmo nível em que operou em relação à produção das outras mercadorias, passa evidentemente pelas limitações ideológicas do próprio autor e de seu contexto no sentido de superar a naturalização de papéis atrelados a sexo e gênero. Porém, não se pode perder de vista que a organização familiar não se dá exatamente nos termos correspondentes ao modo de produção capitalista, objeto de análise de Marx, no qual duas partes (uma proprietária de meios de produção e outra, de força de trabalho) celebram contratos que irão orientar a produção de mercadorias já pensadas, desde seu início, para a venda e, assim, promover acúmulo direto de capital. Além do extenso debate de correntes feministas e materialistas, desenvolvimentos marxistas sobre esse ponto foram recentemente feitos por Cinzia Arruzza, "Considerações sobre

que seria correspondente, assim, à limitação material imposta pela forma capitalista. Isto posto, apresenta-se a possibilidade de identificar os agentes sociais que, submetidos à exploração e às opressões articuladas ao capital e já lidando com uma experiência coletiva (do "comum") mesmo no interior dessa forma de dominação, podem canalizar suas resistências em prol de uma vida organizada sob outro modo de produção.

Por fim, retomando o estudo de Marcello Musto sobre os últimos anos de vida de Marx (1881-1883), ou seja, os anos seguintes ao manuscrito aqui reproduzido, percebe-se que seus campos de estudo – a despeito de toda uma série de problemas de saúde e do impacto da perda de sua companheira, Jenny von Westphalen, no fim de 1881 – estavam se ampliando de várias formas, o que o fez ler atentamente "as descobertas mais recentes no campo da antropologia, da propriedade comunal nas sociedades pré-capitalistas e das transformações ocorridas na Rússia após a abolição da servidão e nascimento do Estado moderno". Ademais, "foi atento observador dos principais acontecimentos da política internacional, e suas cartas testemunham seu apoio à luta pela libertação da Irlanda e a firme oposição à opressão colonial na Índia, no Egito e na Argélia. O oposto de um autor eurocêntrico, economicista e absorvido exclusivamente com a luta de classes"[40].

Esse espírito crítico, disposto a aprender com outras áreas do conhecimento e a incorporar o saber acumulado das gerações – no que, hoje, se incluiriam os desdobramentos dos projetos revolucionários do século XX – , é o que torna Marx um autor incontornável para pensar os problemas do presente e uma fonte de inspiração às diversas formas de existência humana que resistem a um mundo organizado pelo capital.

gênero: reabrindo o debate sobre patriarcado e/ou capitalismo", *Revista Outubro*, n. 23, 2015, e Ursula Huws, "Vida, trabalho e valor no século XXI: desfazendo o nó", em *A formação do cibertariado: trabalho virtual em um mundo real* (Campinas, Ed. da Unicamp, 2017).

[40] Marcello Musto, *O velho Marx*, cit., p. 11.

Seção I

GLOSAS MARGINAIS AO *TRATADO DE ECONOMIA POLÍTICA* DE ADOLPH WAGNER

NOTA INTRODUTÓRIA

Hyury Pinheiro

Como base para a presente tradução, foi utilizado o texto "Randglossen zu Adolph Wagners *Lehrbuch der politischen Ökonomie*". A versão integral do texto traduzido para o inglês, "Marginal Notes on Adolph Wagner's *Lehrbuch der politischen Oekonomie*" (Nova York, International, 1989, MECW, v. 24), serviu como material de comparação e fonte alternativa de referência para notas. Segundo nos informam Rolf Hecker e Ingo Stützle em seu prefácio a *Das Kapital 1.5: die Wertform*, volume organizado por eles (Berlim, Karl Dietz Verlag Berlin, 2017, p. 24), a versão completa desse texto foi publicada pela primeira vez em russo em *Arkhiv Karla Marksa i Friderikha Engel'sa*, tomo V (Moscou, IME, 1930, p. 380-408). Uma versão parcial apareceu em Karl Marx, *Das Kapital*, Band I (Ungekürzte Volksausgabe IMEL, Viena/Berlim, Verlag für Literature und Politik, 1932, p. 841-53). Essa edição de *O capital*, traduzida para o espanhol e publicada pela Editorial Cartago de Buenos Aires em 1956, serviu de base para a tradução brasileira realizada por Evaristo Colmán em 2011, a qual circulou por meio da *Serviço Social em Revista*, de Londrina, v. 13, n. 2, p. 170-9, do primeiro semestre daquele ano. Recentemente, foi publicada uma tradução para o português, feita por Luiz Philipe de Caux, da versão integral das "Glosas marginais..." na revista *Verinotio*, v. 23, n. 2, ano XII, nov. 2017, p. 252-79.

A tradução aqui apresentada intenta trazer ao público lusófono estas glosas críticas marxianas na sua forma integral, tal como publicadas nas Marx-Engels Werke (MEW). Foram também utilizadas as notas presentes em Karl Marx, Frederick Engels Collected Works (MECW) e no apêndice da mencionada edição de *Das Kapital*. Por vezes, lançou-se mão do cotejo de trechos específicos com o manuscrito original disponibilizado pelo site do Internationaal Instituut voor Sociale Geschiedenis em <https://search.socialhistory.org/Record/ARCH00860/ArchiveContentList#B%20164>. Buscou-se, nesta empreitada, o equilíbrio entre o máximo de fidelidade ao texto original e a inteligibilidade e fluidez do texto em português. Quando necessário, foram feitas pequenas adições ao texto, para que o sentido em português se tornasse mais fluido. Ainda que, de antemão, fosse sabido que esse equilíbrio seria impossível, ele sempre foi o horizonte cuja busca poderia trazer um resultado interessante. Se foi alcançado, só o público, a crítica e o tempo poderão dizer.

Adotou-se, aqui, o expediente de explicitar a palavra alemã, entre parênteses e em itálico, quando não se conseguiu encontrar uma tradução satisfatória em português para o sentido ali expresso. Isso ocorre porque, entre outros fatores, o idioma alemão carrega uma significativa polissemia em seus substantivos, verbos, preposições etc. Tal característica lhe confere uma grande potencialidade especulativa, conforme notou Michael Inwood[1] ao refletir sobre o modo como Hegel se utilizava do idioma, o que pode ser percebido pela riqueza semântica e filosófica da palavra *Aufhebung*. Visando a determinar o sentido das palavras nesta tradução, bem como problematizar e justificar algumas opções aqui contempladas, apresenta-se a seguir um pequeno glossário comentado.

Antes, porém, duas observações de ordem prática. Os colchetes utilizados por Marx em seu manuscrito foram substituídos por chaves na edição alemã, convenção aqui adotada em função do uso editorial dos primeiros para indicar a tradução de títulos estrangeiros. A segunda observação diz respeito à indicação da paginação do caderno de notas de Marx, que está marcada por algarismos arábicos na parte superior da folha do manuscrito, ora à direita, ora à esquerda. Esses algarismos são indicados entre barras no corpo da tradução.

Glossário comentado

Austausch e *Verkehr*

Optou-se traduzir *Austausch* por *troca* e *Verkehr* por *intercâmbio*. Ainda que os sentidos de ambas as palavras sejam próximos (como será o caso de outras entradas deste glossário), inclusive do ponto de vista da sua função no texto, o fato de o próprio Marx utilizar duas palavras distintas animou a manutenção dessa distinção na tradução. *Austausch* – no âmbito do argumento desenvolvido no Livro I de *O capital* – indica uma relação econômica abstrata na qual se relacionam dois produtores autônomos e livres que trocam suas produções particulares, algo que ressoa de modo determinado na estrutura jurídica da sociedade moderna, pautando, a partir dessa relação, o problema da volição do indivíduo e do sujeito de direito juridicamente livre. Por outro lado, *Verkehr*, que no alemão corrente indica tanto *trânsito* como *relação* ou *ato* sexual

---

[1] Michael Inwood, *Dicionário Hegel* (trad. Álvaro Cabral, Rio de Janeiro, Zahar, 1997), p. 17-30.

(*Geschlechtsverkehr*), parece estar próximo do movimento mais concreto de troca entre as mercadorias ou, ainda, de uma *circulação* de mercadorias. Lemos em *O capital*:

> Uma circulação (*Verkehr*) em que os proprietários de mercadorias comparam mutuamente seus artigos e os trocam (*austauschen*) por outros artigos diferentes jamais ocorre sem que, em sua circulação (*Verkehrs*), diferentes mercadorias de diferentes possuidores de mercadorias sejam trocadas (*ausgetauscht*) e comparadas como valores com uma única terceira mercadoria.[2]

Contudo, a palavra *circulação* (*Zirkulation*) indica e organiza, em *O capital*, todo um complexo problemático determinado cujo conteúdo pode até estar contido no termo *Verkehr*, mas não o esgota em função da generalidade deste. Isso porque o conteúdo da *circulação* é determinado, de um ponto de vista mais geral, a partir da questão da metamorfose das formas mercadoria e dinheiro (M-D-M e D-M-D′) que medeia o processo de produção e aparece como momento do processo de valorização do capital (Livro I) e, de um ponto de vista mais particular, a partir da relação entre todas as particularidades do capital social total, das suas rotações, dos modos de sua reprodução e da sua acumulação (Livro II). Por sua vez, a generalidade do termo *Verkehr* é indicada explicitamente por Marx em carta a Annenkov de 28/12/1846:

> [...] para não perderem os frutos da civilização, os homens são forçados, no momento em que o modo de seu comércio (*commerce*) não mais corresponda às forças produtivas adquiridas, a mudar todas as suas formas sociais tradicionais. – Eu tomo, aqui, a palavra *comércio* (*commerce*) no sentido mais geral, como dizemos em alemão: *Verkehr*.[3]

Percebe-se, com isso, que o uso de *Verkehr* não indica, por si só e exclusivamente, uma prática econômica pré-capitalista. Entende-se aqui, antes, que o termo denota um nível de abstração mais elevado e, assim, mais indeterminado do que o de *circulação*, sendo capaz de lidar tanto com as trocas capitalistas quanto com aquelas que se processam fora do escopo do capital.

Assim, dados o seu sentido de trânsito e a sua generalidade em relação à *circulação*, lê-se *Verkehr* ou *intercâmbio* como um conjunto de fluxos e refluxos de trocas econômicas cujo alto nível de abstração esteja determinado justamente pela ausência da *necessidade* da forma especificamente moderna de troca econômica, sendo, desse modo, aberto às suas mais diversas expressões históricas.

---

[2] Karl Marx, *O capital: crítica da economia política*, Livro I: *O processo de produção do capital* (trad. Rubens Enderle, São Paulo, Boitempo, 2013), p. 163.

[3] Karl Marx e Friedrich Engels, *Correspondance*, tome premier (1835-1848) (Paris, Editions Sociales, 1977), p. 449.

Bedürfnis e *notwendig*

Segue-se aqui a solução utilizada por Jesus Ranieri em sua tradução dos *Manuscritos econômico-filosóficos* de Marx[4]. Ranieri traduz *Bedürfnis* por *carência*, termo que expressa as necessidades biológicas do ser humano (falta/desejo), havendo nele também um componente social, já que as carências são saciadas de modo socialmente determinado. Uma vez saciadas, novas e mais sofisticadas carências podem surgir, bem como novos modos de saciar as já antigas. Para dar conta dessa positividade presente na carência, ou seja, do surgimento de novas carências a partir da saciedade de antigas, Ranieri escolheu, algumas vezes, traduzir *Bedürfnis* por *necessidade*. Pelo fato de, no presente escrito, essa dimensão positiva não ter sido notada de modo mais determinante, mas, antes, ser marcante a dimensão da falta/desejo como componente subjetivo constitutivo do modo de considerar o valor de uso, *Bedürfnis* aparecerá aqui sempre como *carência*.

Notwendigkeit pertence, por sua vez, ao âmbito "lógico" e expressa, do ponto de vista da transposição e da organização dos processos perceptíveis mediante a representação no "caminho do pensar", a *necessidade* de algo ser, ocorrer, aparecer etc., o que se opõe à *contingência* de algo ser, ocorrer, aparecer etc. Tal é, ainda, o sentido do adjetivo *notwendig*. Daí ele ser traduzido, aqui, por *necessário*, como em *tempo socialmente necessário de trabalho* ou *modo necessário de expressão*.

Chemischer Werth

A princípio, pensou-se em traduzir o termo por *valência*, o que não foi realizado por não haver certeza se havia, de fato, correspondência histórica entre esse termo e o literal *valor químico* (*chemischer Werth*). Ao buscar fundamentação para essa opção, constatou-se que Marx tinha um exemplar da segunda edição do tratado moderno de química de Lothar Meyer (*Die modernen Theorien der Chemie und ihre Bedeutung für die chemische Statik*), de 1872, razoavelmente anotado (MEGA² IV/32, p. 460). No oitavo capítulo dessa obra, "O valor químico, a valência ou a capacidade de saturação do átomo", é possível notar que, apesar de Meyer designar ambos os termos, eles são apresentados no argumento como sinônimos, o que não o impede, contudo, de optar por utilizar *valor químico* em vez de *valência* (*Valenz*). Pode-se conjecturar que ocorre aqui o mesmo que se passou com os escritores ingleses do século XVII, a saber, usar termos germânicos para as denotações empíricas e

---

[4] Karl Marx, *Manuscritos econômico-filosóficos* (trad. Jesus Ranieri, São Paulo, Boitempo, 2004).

termos românicos para as conotações especulativas ou refletidas[5], algo que também foi percebido por Hegel[6] e por muitos outros antes dele[7]. Portanto, diante da opção de Meyer em não utilizar *Valenz*, e ao constatar a mesma recusa por parte de seu leitor, Marx, *chemischer Werth* será traduzido aqui literalmente por *valor químico*.

Ding e *Sache*

O modo como esse par é utilizado pelo idealismo alemão e as ressonâncias desse uso em Marx e em alguns de seus seguidores impõem, aqui, a necessidade de ao menos indicar os momentos dessa distinção na presente tradução. É suficiente, entretanto, para fins deste glossário, afirmar que *Ding* e *Sache* têm um peso teórico significativo na crítica de Marx à economia política[8]. Contudo, isso não sugere que tal par seja usado sempre de modo teórico-funcional; pode, inclusive, ter um sentido coloquial.

Como é possível haver a incidência de ambas as acepções nas glosas, as palavras *Ding* e *Sache* são traduzidas aqui por *coisa*. *Sache* pode aparecer também como *questão* – nesse caso, acompanhada do original entre parênteses e em itálico –, enquanto *Ding* será traduzida exclusivamente por *coisa*. Ao aparecer a forma adjetiva de *Sache*, a saber, *sachlich*, será adotado sempre o vocábulo *reificado*, como sugere o artigo de Tairako; entre parênteses e em itálico será indicada a palavra alemã. Vale notar que não há ocorrência de *dinglich* no texto.

Gemeinwesen, *Gemeinschaft* e *Wesen*

Aqui se lançou mão de um neologismo motivado pela necessidade de expressar a diferença – ainda que puramente formal – que o autor faz entre

---

[5] Idem, *O capital*, Livro I, cit., p. 114, nota 4.

[6] "Mais vezes ainda irá se impor a observação de que a linguagem técnica filosófica (*philosophische Kunstsprache*) emprega expressões latinas para determinações refletidas (*reflektierte*), ou porque a língua materna não tem expressões para elas ou, quando as tem, como é o caso aqui, porque sua expressão lembra mais o imediato, ao passo que a língua estrangeira lembra mais o refletido (*Reflektierte*)"; G. F. W. Hegel, *Ciência da lógica: 1. A doutrina do ser* (trad. Christian G. Iber, Marloren L. Miranda e Federico Orsini, Petrópolis/Bragança Paulista, Vozes/Editora Universitária São Francisco, 2016), p. 112.

[7] Michael Inwood, *Dicionário Hegel*, cit., p. 20-3.

[8] Ver a problematização sobre a diferença entre reificação (*Versachlichung*) e coisificação (*Verdinglichung*) em *O capital* elaborada por Tomonaga Tairako, "Versachlichung and Verdinglichung: Basic Categories of Marx's Theory of Reification and Their Logical Construction", em *Hitotsubashi Journal of Social Studies* (v. 48, n. 1, jan. 2017, p. 1-26; disponível em: <http://www.jstor.org/stable/44089938>), acesso em 12 nov. 2019.

Gemeinschaft, traduzido por *comunidade*, e *Gemeinwesen*, traduzido por *comunalidade*. Em geral, quando a palavra *Wesen* acompanha outro substantivo, ela indica um complexo de elementos que determinam a existência concreta do substantivo acompanhado. Um exemplo é *Postwesen*, que pode ser traduzido por *sistema de correios* ou, simplesmente, *correios*, enquanto *Post* tem sentido mais abstrato, algo como o adjetivo *postal*. Portanto, *comunalidade* seria aquele complexo de propriedades ou características que faz do *comum* algo concreto e tangível. Nesse sentido, *comunidade* seria uma forma de organização social na qual vige a *comunalidade*. Vale ressaltar que esse raciocínio não encontra respaldo nas glosas, nas quais Marx não explicita nem desenvolve essa diferença, restando a quem lê a interpretação.

No entanto, contra essa distinção é possível argumentar que o próprio Marx já traduziu *community* por *Gemeinwesen*, por exemplo, em um trecho do prefácio de *Princípios de economia política e tributação*, de David Ricardo, em carta de 5 de março de 1852 a Joseph Weydemeyer (MEW 28, p. 507), de modo que a distinção aqui proposta seria estéril, quando não errônea. Ainda assim, decidiu-se mantê-la, mesmo que vazia de conteúdo, para simplesmente indicar uma diferença que pode ser objeto de pesquisa posterior.

Deixando de lado a questão sobre *Gemeinwesen*, a palavra *Wesen* é geralmente traduzida por *essência* quando se apresenta como substantivo, o que foi adotado neste trabalho. Por haver diversos usos e significados filosóficos por meio dos quais essa palavra é constantemente reconstruída, deve-se levar sempre em consideração a teoria ou o lugar epistemológico do qual ela parte. Portanto, ela pode indicar tanto um momento da ideia na lógica de Hegel como simplesmente ser sinônimo de âmago.

Mensch

Aqui se apresenta um dilema. Caso se opte por traduzir *Mensch* por *ser humano*, ofusca-se a possibilidade de perceber o cenário ideológico vigente na Europa do século XIX, que elevava a figura do *homem* europeu à síntese cultural autolegitimada da espécie humana. Se, por outro lado, optar-se por *homem*, reproduz-se um discurso de dominação que é objeto de crítica da esquerda contemporânea, notadamente do movimento feminista e do movimento negro, que veem nesse *homem* o algoz simbólico de outros protagonismos históricos. Esse dilema pode ser apresentado, ainda, da seguinte maneira: o termo *homem* toma para si a universalidade da palavra *Mensch*, que, a rigor, em alemão, é *humano* (espécie humana), ignorando, assim, as particularidades constitutivas desse universal, as quais indicam, por sua vez, um conteúdo que transcende aquelas fronteiras ideológicas; enquanto, por seu lado, o termo *humano* esconde na sua universalidade aquilo que era o conteúdo ideológico vigente da palavra *Mensch* para a média da sociedade europeia esclarecida (o homem branco europeu).

Posto o dilema, espera-se que a leitora ou o leitor o tenha em mente ao ler a expressão *ser humano*, pela qual finalmente se decidiu aqui. Ela deve, enfim, ser encarada como carregada de contradição e não suscetível a qualquer resolução, visto não haver escolha satisfatória.

Verhältnis e *Beziehung*

Tanto *Verhältnis* como *Beziehung* podem ser traduzidas por *relação*, desde que se entendam as nuances do sentido de *relação* que cada um dos casos expressa. No primeiro, trata-se de uma relação mensurável ou comparável ou, ainda, de uma *proporção*. *Verhältnis* se aproxima do verbo *verhalten*, dentre cujos sentidos possíveis está o de *se comportar*, de *agir* em função de determinada norma, e do substantivo *Verhalten*, que significa *conduta*, *comportamento*. *Relação*, como *Verhältnis*, pode ser entendida, portanto, como uma relação "normativa", dentro da qual os elementos se comportam uns para com os outros em função dela mesma, sendo possível que eles variem em termos absolutos sem que ela se altere em termos relativos. Assim, a relação fica acentuada e ganha preponderância sobre seus elementos. Ela é traduzida, aqui, simplesmente por *relação*, sem nenhuma indicação em alemão.

O segundo caso é o de uma relação que tem o sentido de *conexão*, de *relação recíproca* entre elementos, *ligação*. Assim como no primeiro caso, *Beziehung* tem a ver com um verbo, *beziehen*, que pode significar *referir-se a alguém ou a alguma coisa* ou, ainda, *colocar algo em contexto*. A solução adotada para essa palavra será, a depender da circunstância, *conexão* ou *relação*, sendo indicado, em seguida, o termo alemão traduzido.

Convenções de siglas e sinais

K. I: *Das Kapital*, Band I [*O capital*, Livro I] (Berlim, Dietz Verlag, 1953);
MEW: Marx-Engels Werke;
MECW: Karl Marx, Frederick Engels Collected Works;
N. E. A.: notas da edição alemã (MEW 19);
N. E. I.: notas da edição inglesa /norte-americana (MECW 24);
N. K. I: notas da versão presente em K. I;
N. T.: notas do tradutor;
( ): palavra ou expressão em alemão originalmente usada por Marx;
[ ]: tradução de título de livros, artigos etc. ou de uma alguma palavra ou expressão em outro idioma que não o alemão.

GLOSAS MARGINAIS AO *TRATADO DE ECONOMIA POLÍTICA* DE ADOLPH WAGNER[1]

/5/ 1. A concepção do sr. Wagner, a "*concepção sociojurídica*" (p. 2). Encontra-se assim em "*acordo com Rodbertus, Lange e Schäffle*"[2] (p. 2). Para

---

[1] As "Glosas marginais ao *Tratado de economia política* de Adolph Wagner" foram rascunhadas por Marx entre a segunda metade de 1879 e novembro de 1880, em Londres, e estão contidas no seu caderno de excertos dos anos 1879-1881. As anotações críticas de Marx se referem ao livro de Adolph Wagner intitulado *Allgemeine oder theoretische Volkswirtschaftslehre.* Erster Theil. *Grundlegung* [Doutrina geral ou teórica de economia nacional. Primeira parte. Fundamentação] (2. ed. revisada e ampliada, Leipzig/Heidelberg, 1879), publicado como primeiro volume de *Lehrbuch der politischen Ökonomie* [Tratado de economia política]. Marx critica a deturpação da teoria do valor desenvolvida em *O capital* e assenta mais uma vez as teses fundamentais da sua doutrina econômica. No caderno de excertos de Marx, uma bibliografia de 54 títulos precede as anotações, a qual foi compilada por ele segundo os dados bibliográficos presentes no livro de Wagner. (N. E. A.) As glosas marginais a Adolph Wagner são o último trabalho econômico de Marx. Elas se encontram em um caderno de excertos dos anos 1881-1882, que porta o título "Oekonomisches en général (X)" [Assuntos econômicos em geral (X)]. A seguinte seleção é publicada pela primeira vez aqui no original alemão. [...] Os dados de imprenta exatos do livro ao qual as glosas de Marx se referem são: Adolph Wagner, "*Allgemeine oder theoretische Volkswirtschaftslehre.* Erster Theil. *Grundlegung. Grundlagen der Volkswirtschaft. Volkswirtschaft und Recht, besonders Vermögensrecht*" [Doutrina geral ou teórica de economia nacional. Primeira parte. Fundamentação. Fundamentos da economia nacional. Economia nacional e direito, em particular o direito patrimonial] (2. ed. amplamente revisada e fortemente ampliada, Leipzig/Heidelberg, 1879). Publicou-se como tomo I do *Lehrbuch der politischen Ökonomie, in eizelnen selbständigen Abteilungen, bearbeitet von A. Wagner und E. Natze* [Tratado de economia política, em subdivisões autônomas e individuais, organizado por A. Wagner e E. Natze]. (N. K. I)

[2] Marx provavelmente está se referindo aos seguintes trabalhos: Rodbertus-Jagetzow, *Zur Erkenntnis unsrer staatswirtschaftlichen Zustände*, Erstes Heft: *Fünf Theoreme* [Para o conhecimento de nossas condições estatal-econômicas, primeiro caderno: Cinco teoremas] (Neubrandenburg und Friedland, 1842), *Soziale Briefe an Kirchmann* [Cartas sociais a Kirchmann] (n. 1-3, Berlim, 1850-1851), *Zur Erklärung und Abhülfe der heutigen Creditnoth des Grundbesitzes.* I. *Die Ursachen der Noth.* II. *Zur Abhülfe* [Para a explicação e antídoto da atual necessidade de crédito da posse da terra. I. As causas da necessidade. II. Sobre o antídoto] (Jena, 1869); Fr. A. Lange, *John Stuart Mills Ansichten über die sozialen Frage...* [As visões de

os *"pontos principais da fundamentação"*, ele se refere a *Rodbertus e Schäffle*. O sr. Wagner fala até mesmo da *pirataria* como "aquisição ilegal" que afeta *povos inteiros*, que só é roubo se "um *verdadeiro jus gentium* (direito dos povos) é aceito como algo vigente" (p. 18, nota 3).

Ele pesquisa, sobretudo, as "*condições da vida econômica em comum*" e "*determina segundo elas mesmas a esfera da liberdade econômica do indivíduo*" (p. 2).

> "O 'instinto da satisfação' [...] *não* opera nem deve operar como *pura força da natureza*, mas, como todo instinto humano, ele está sob a direção da razão e da consciência moral (*Gewissens*). Toda ação resultante dele é, portanto, uma ação imputável e está sempre sujeita a um julgamento moral, o qual, no entanto, está certamente (!) ele mesmo suscetível à *mudança histórica*." (p. 9)

Sob "trabalho" (p. 9, § 2), o sr. Wagner não distingue entre o *caráter concreto de todo trabalho* e o *dispêndio de força de trabalho* comum a todas essas espécies concretas de trabalho (p. 9-10).

> "Mesmo a *mera administração do patrimônio* com vistas ao recebimento de pensão, e igualmente o *emprego* da renda obtida para a satisfação da carência, constrangem sempre as atividades que pertencem ao *conceito de trabalho*." (p. 10, nota 6)

As categorias *histórico-jurídicas* são, segundo Wagner, as "*categorias sociais*" (nota 6, p. 13).

> "Em especial, os *monopólios naturais da localização* causam, assim, particularmente nas condições *urbanas*," (!monopólio natural a localização na cidade de Londres!) "e, ainda, sob a influência do *clima* para a *produção agrária* de países inteiros; e, além disso, os *monopólios naturais* da *fertilidade específica do solo*, por exemplo, devido a vinhedos particularmente bons, e mesmo aqueles entre os vários povos, por exemplo, devido à *venda de produtos tropicais* para países de zona temperada" {"Os *impostos de exportação* formam uma contribuição sobre os produtos de uma espécie de monopólio natural, os quais são cobrados em alguns países (Europa meridional, países tropicais) no pressuposto seguro de lançá-los sobre os consumidores estrangeiros" (nota 11, p. 15). Ao inferir a partir daqui os impostos de exportação nos países europeus meridionais, o sr. Wagner mostra nada saber da "*história*" desses impostos} –, "esses monopólios naturais causam o fato de que os *bens* ao menos *parcialmente livres na natureza* se tornem puramente econômicos, pagos o tanto quanto possível na aquisição". (p. 15)

O campo da troca *regular* (*venda*) dos bens é o seu *mercado* (p. 21).

John Stuart Mill sobre a questão social...] (Duisburg, 1865), *Die Arbeitfrage...* [A questão do trabalho...] (3. ed., Winterthur, 1875); A. Schäffle, *Bau und Leben des socialen Körpers* [Estrutura e vida do corpo social] (v. 1-4, Tübingen, 1875-1878). (N. E. I.)

> *Entre os bens econômicos*: "*relações com pessoas e coisas* (*Sachen*) (*res incorporales*), cujo isolamento objetivo se baseia em uma abstração: a) *do intercâmbio completamente livre*: os casos da *clientela, firma* e similares, nos quais as conexões (*Beziehungen*) vantajosas com outros seres humanos, que são desenvolvidas por meio da atividade humana, podem ser cedidas e adquiridas *mediante pagamento*; b) sobre o fundamento de certas *restrições jurídicas do intercâmbio*: direitos profissionais exclusivos, justiças reais, privilégios, monopólios, patentes etc.". (p. 22-3)

O sr. Wagner subsume os "*serviços*" aos "*bens econômicos*" (p. 23, nota 2, e p. 28). O que, de fato, subjaz nesse processo é sua mania de apresentar o conselheiro privado Wagner como "*trabalhador produtivo*"; pois, diz ele,

> "a resposta é prejudicial* para o julgamento de todas aquelas classes que exercem *profissionalmente serviços pessoais*, por conseguinte, dos *servidores*, dos membros das *profissões liberais* e consequentemente também do *Estado*. Apenas quando os serviços são considerados junto com os bens econômicos, as classes mencionadas são *produtivas* no sentido econômico." (p. 24)

A seguir, algo muito característico para a maneira de pensar de Wagner e consortes:

Rau notou: depende da "*definição do patrimônio* e, igualmente, dos bens econômicos", se "*os serviços* também pertencem a eles ou não"[3]. A respeito disso, *Wagner*: "*uma tal definição*" de "*patrimônio*" precisa "ser levada a cabo, de modo a *incluir os serviços nos bens econômicos*" (p. 28). Seja, contudo,

> "*fundamento decisivo*" [...] "a impossibilidade de que os *meios de satisfação* possam consistir apenas em bens materiais (*Sachgütern*), pois as *carências não* se referem *somente a eles, mas também aos serviços pessoais* (a saber, os do Estado, como a proteção jurídica etc.)." (p. 28)

---

* Em sua tradução das "Glosas...", Luiz Philipe de Caux chama a atenção para o fato de que "prejudicial" (*präjudiziell*) tem, aqui, um "sentido jurídico, isto é, um juízo logicamente anterior de cuja solução depende a decisão acerca de um juízo principal". O conteúdo de tal sentido é corroborado por Karl Larenz, em *Methodenlehre der Rechtswissenschaft* [Metodologia da ciência do direito] (Berlim/Heidelberg, Springer-Verlag, 1969), p. 403-4, ao afirmar: "'Prejudicial' não é a decisão do caso singular, decisão essa que matura na força jurídica, mas sim a resposta a uma questão jurídica dada pelo tribunal no contexto da justificação do julgamento, a qual deve ser recolocada de modo igual ou, ao menos, comparável, no caso a ser decidido no presente momento". (N. T.)

[3] K. H. Rau, *Grundsätze der Volkswirtschaftslehre* [Linhas fundamentais da doutrina nacional-econômica] (5. ed., Heidelberg, 1847), p. 63. (N. E. I.)

/6/ *Patrimônio*:

1. "*puramente econômico* [...] *reserva disponível de bens econômicos* em um determinado momento *como fundos reais para a satisfação da carência*", é "*patrimônio em si*", "parte do patrimônio total, ou do povo, ou nacional".

2. "Como *conceito histórico-jurídico* (*geschichtlich-rechtlicher*) [...] *reserva permanente de bens econômicos em posse ou de propriedade de uma pessoa*", "*posse de patrimônio*" (p. 32). O último, "*conceito relativo, histórico-jurídico* (*historisch-rechtlicher*) *de propriedade*. A propriedade dá apenas *certas atribuições de disposição* e *certas atribuições de exclusão* ante outras. A *medida* dessas atribuições *muda*" {i.e., historicamente} (p. 34). "Todo patrimônio é – em segundo sentido – *patrimônio individual*, patrimônio de uma pessoa física ou jurídica." (idem)

Patrimônio público,

"em particular, o patrimônio das *economias comunitárias compulsórias*, nomeadamente, portanto, o *patrimônio do Estado, da região, do agrupamento*. Esse patrimônio é destinado ao *uso universal* (como estradas, rios etc.) e a propriedade sobre ele é imputada ao Estado etc. [...] como *representante* jurídico *da totalidade* (povo, população local etc.), ou ele é *o próprio patrimônio do Estado e do agrupamento*, a saber, *patrimônio da administração*, o qual é utilizado para a execução dos serviços do Estado, e *patrimônio financeiro*, o qual é utilizado pelo Estado para aquisição de rendimentos que servem como meios para a execução de seus serviços." (p. 35)

Capital, *capitale*, tradução de κεφάλαιον [*kefálaion*], com o que se denotava a exigência de uma soma de dinheiro em oposição à do *juro* (τόκος) [*tókos*]. Na Idade Média surgiu *Capitale, caput pecuniae** como coisa principal (*Hauptsache*), o essencial, o original (p. 37). Em alemão se usava a palavra *Hauptgeld*** (p. 37).

"*Capital, base de aquisição, reserva adquirente de bens: uma reserva de meios móveis de aquisição.*" Contrário a isso: "*Reserva de uso:* um montante de meios móveis de fruição que está condensado em uma relação (*Beziehung*) qualquer". (p. 38, nota 2)

*Capital circulante e fixo**** (p. 38, 2 (a) e 2 (b)).

---

* O termo latino "*caput*" significa "cabeça", e "*pecuniae*" (caso genitivo singular de "*pecunia*"), "dinheiro"; ou seja, "*caput pecuniae*" seria uma espécie de dinheiro que detém certa ascendência sobre os outros. (N. T.)

** Literalmente, "dinheiro principal". (N. T.)

*** No original, "*umlaufendes und stehendes Kapital*". No Livro II de *O capital*, Marx usa os termos "*fixes und zirkulierendes Kapital*" (traduzidos habitual e corretamente por "capital fixo e circulante"), que correspondem à forma latina dos termos empregados por Wagner. Apesar da diferença de forma, os conteúdos das categorias parecem se aproximar. Compare-se o capítulo 8 ("Capital fixo e capital circulante"), item I ("As diferenças de forma"), em Karl Marx, *O capital: crítica da economia política*, Livro II: *O processo de circulação do capital*

*Valor**. Segundo o sr. Wagner, a teoria do valor de Marx é "*a pedra angular do seu sistema socialista*" (p. 45). Uma vez que eu nunca concebi um "*sistema socialista*", essa é uma fantasia de Wagner, Schäffle e *tutti quanti* [todos os outros].

E mais: de acordo com isso**, Marx

> "encontra no *trabalho* a *substância social comum* do *valor de troca* visado aqui tão somente por ele e, no tempo socialmente necessário de trabalho, a *medida das grandezas do valor de troca*" etc.

Em lugar algum falei sobre "*a substância social comum do valor de troca*". Disse, antes, que os valores de troca (*valor de troca* não existe sem pelo menos dois deles) apresentam algo *comum a eles*, completamente independente "dos seus valores de uso" {i.e., aqui, sua forma natural}, a saber, o "*valor*". A questão está disposta assim: "O comum, que se apresenta na relação de troca ou no valor de troca das mercadorias, é, portanto, *seu valor*. O avanço da investigação nos levará de volta ao valor de troca como o modo necessário de expressão ou a forma de manifestação do valor, o qual, *entretanto*, deve ser considerado, de início, *independentemente dessa forma*"[4] (p. 13[5]).

(trad. Rubens Enderle, São Paulo, Boitempo, 2014); e o primeiro capítulo ("Conceitos fundamentais elementares"), terceira seção principal ("O patrimônio"), segunda seção ("Classificação ou espécies do patrimônio. Capital"), item II ("O conceito duplo de capital"), em Adolph Wagner, *Allgemeine oder theoretische Volkswirtschaftslehre*, cit., p. 38. (N. T.)

* A versão do manuscrito publicado em K. I começa neste ponto. (N. T.)

** Entende-se que o "isso" se refere à "fantasia de Wagner, Schäffle e *tutti quanti*", ou seja, é de acordo com tal "fantasia" que se põe a citação com a qual o argumento de Marx segue. Julga-se pertinente essa explicação, pois o advérbio pronominal "*wonach*", traduzido aqui por "de acordo com isso", parece bastante sem sentido no original alemão. A versão publicada em K. I chega a apresentar uma nota, afirmando o seguinte: "evidentemente se esqueceu, aqui, de suprimir *wonach*" (p. 841, nota 1). A tradução sugerida segue o posicionamento de tratar o texto estilisticamente segundo sua natureza de manuscrito, permitindo a incorporação de expressões que não fariam sentido em um texto escrito e revisado para publicação. (N. T.)

[4] Ver o volume 23 de nossa edição [MEW 23], p. 53. (N. E. A.) [Esse volume se refere à quarta edição alemã do Livro I de *O capital*. Ver Karl Marx, *O capital: crítica da economia política, Livro I: O processo de produção do capital* (São Paulo, Boitempo, 2013), p. 116. – N. T.]

[5] O número da página se refere à segunda edição do Livro I de *O capital* (Hamburgo, 1872). (N. E. A.)

Eu não disse, portanto, que "a substância social comum do valor de troca" seja o "trabalho"; e porque trato de modo minucioso e em seção particular a *forma-valor*, isto é, o desenvolvimento do valor de troca, seria esquisito reduzir essa "forma" à "substância social comum", o "trabalho". Esquece também o sr. Wagner que nem "o valor" nem "o valor de troca" são sujeitos para mim, mas sim *a mercadoria*.

Além disso:

> "Essa teoria" (de Marx) "não é, contudo, tanto uma teoria geral do valor quanto é uma *teoria dos custos* referida *a Ricardo*." (idem)

O sr. Wagner teria que se familiarizar – tanto a partir de *O capital* como a partir do *escrito de Sieber** (se ele soubesse russo) – com a diferença entre mim e Ricardo, o qual se ocupou, de fato, com o trabalho apenas como *medida da grandeza do valor* e, por isso, não encontrou conexão alguma entre sua teoria do valor e a essência do dinheiro.

Quando o sr. Wagner diz que isso não é "uma teoria geral do valor", está completamente certo em seu sentido, pois compreende por teoria geral do valor o ruminar da palavra "valor", o que também o capacita a permanecer na confusão professoral alemã-tradicional entre "valor de uso" e "valor", já que ambas têm em comum a palavra "valor". Quando ele diz, além do mais, que isso é uma /7/ "*teoria dos custos*", ou isso desemboca em uma tautologia: as mercadorias, na medida em que são valores, apresentam apenas algo *social*, trabalho**, e o apresentam, mais precisamente, na medida em que a *grandeza de valor* de uma mercadoria é determinada, de acordo comigo, por meio da *grandeza do tempo de trabalho que ela contém* etc., por meio, portanto, da massa normal de

* Ao que tudo indica, Marx faz referência à obra de Nikolai Iwanowitsch Sieber (1844-1888), *Die Ricardos Theorie des Werts und des Kapitals* [A teoria ricardiana do valor e do capital], cf. ibidem, p. 88. Segundo o registro de pessoas citadas da MEW 19 (p. 646), Sieber era um "economista russo; ele foi um dos primeiros a popularizar os trabalhos econômicos de Marx na Rússia, mesmo sem compreender a dialética materialista e a essência revolucionária do marxismo". (N. T.)

** No texto publicado em K. I, o "trabalho" é qualificado como "humano" (*menschliche Arbeit*); acompanha uma nota, na qual se lê: "*humano* está suprimido no original" (p. 842, nota 3). Isso sugere dúvida do autor acerca do uso desse adjetivo naquele contexto. (N. T.)

trabalho que a produção de um objeto custa etc.[6]; e o sr. Wagner prova o contrário por meio da sua asseveração de que essa teoria do valor não é "a geral", pois essa não é a perspectiva do sr. Wagner acerca da "teoria geral do valor". Ou, ainda, ele diz *algo falso*: *Ricardo* (seguindo Smith) confunde valor e custos de produção; sobre isso eu já indiquei expressamente em *Para a crítica da economia política*, e mesmo em notas para *O capital*, que *valores* e *preços de produção* (que apenas expressam em dinheiro os custos de produção) *não* coincidem. Por que não? *Não* contei ao sr. Wagner[7].

Ademais, eu "procedo arbitrariamente" quando atribuo*

> "esses custos apenas ao assim chamado – no sentido mais restrito — desempenho do trabalho (*Arbeitsleistung*). Isso pressupõe, antes, uma argumentação que ainda falta, a saber, a de que o processo de produção seja possível sem qualquer mediação da atividade dos *capitalistas privados* que forma e emprega o capital." (p. 45)

Pelo contrário: em vez de colocar tal argumento futuro sobre minhas costas, o sr. Wagner precisaria primeiro demonstrar que *não existiu um processo social de produção* – não se fala de modo algum do processo de produção em geral (*überhaupt*) – nas muito numerosas comunalidades que *existiram* antes *do aparecimento dos capitalistas privados* (agrupamento indiano antigo, agrupamento sul-eslavo de famílias etc.). Ademais, Wagner pôde apenas dizer: a exploração da classe de trabalhadores pela classe de capitalistas, em resumo, o caráter da produção capitalista, tal como Marx o apresenta, é correto, mas ele se engana no ponto em que

---

[6] Marx mostra que sua teoria do valor é, de fato, uma "teoria dos custos" – "custos" entendidos como os "custos efetivos" da mercadoria, i.e., o trabalho despendido. "O custo capitalista da mercadoria se mede pelo dispêndio de *capital*, e o custo real [*wirkliche*] da mercadoria, pelo dispêndio de *trabalho*" (*O capital: crítica da economia política*, Livro III: *O processo global da produção capitalista*, trad. Rubens Enderle, São Paulo, Boitempo, 2017, p. 54). (N. K. I)

[7] Comparar K. I, p. 173 e seguintes, p. 228 [respectivamente, idem, *O capital*, Livro I, cit., p. 240 e seguintes e p. 296] e o anexo, p. 834 e seg. [carta de Marx a Engels, de 30 de abril de 1868, que trata da relação entre lucro e mais-valor]. (N. K. I)

* É interessante notar que Marx flexiona os verbos da citação na primeira pessoa do singular quando, na verdade, Wagner lida, nesse momento da sua exposição, com um ponto comum a ele e a Rodbertus: "A teoria do valor de troca de Rodbertus também sofre do erro de enfatizar unilateralmente o momento dos custos, e tanto ele quanto *Marx* procedem, ademais, arbitrariamente quando atribuem esses custos apenas ao assim chamado – no sentido mais restrito – desempenho do trabalho"; Adolph Wagner, *Allgemeine oder theoretische Volkswirtschaftslehre*, cit., p. 45. (N. T.)

considera essa economia como transitória, ao passo que Aristóteles se enganou, de modo inverso, quando considerou a *economia escravista* como *não* transitória.

> "Enquanto tal argumento *não* é demonstrado" {*alias*, enquanto a economia capitalista existe}, "o *ganho de capital* é, *de fato, também*" {aqui se mostra o pé torto ou a orelha de burro} "um elemento '*constitutivo*' do valor e *não* apenas uma *subtração* ou 'roubo' ao trabalhador, tal como na concepção socialista." (p. 45-6)

O que é uma "*subtração ao trabalhador*", subtração de sua pele etc., não é algo compreensível. Agora, de fato, também em minha apresentação, o ganho de capital *não* é "apenas uma *subtração* ou 'roubo' ao trabalhador". Apresento, ao contrário, o capitalista como funcionário necessário da produção capitalista e demonstro, muito minuciosamente, que ele não apenas "subtrai" ou "*rouba*", mas compele a *produção de mais-valor*; portanto, o que subtrai ajuda primeiro a criar. Mostro detalhadamente, além disso, que, dentro da troca de mercadorias, mesmo se *apenas equivalentes* fossem trocados, o capitalista – assim que paga ao trabalhador o valor efetivo de sua força de trabalho –, com todo o direito, isto é, o direito correspondente a esse modo de produção, ganharia o *mais-valor*. Tudo isso não faz do "ganho de capital" *elemento "constitutivo"* do valor, mas evidencia apenas que há, inserido no valor "*constituído*" sem a mediação do trabalho do capitalista, um pedaço do qual ele pode se apropriar "juridicamente", isto é, sem infringir o direito correspondente à troca de mercadorias.

"Aquela teoria considera, de modo unilateral, apenas esse um momento determinante do valor" {1. Tautologia. A teoria é falsa, pois Wagner tem uma "teoria geral do valor" que não concorda com ela, daí seu "valor" ser determinado por meio do "valor de uso", como evidencia especialmente o pagamento do professorado; 2. o sr. Wagner imputa ao valor o "preço de mercado" de cada instante ou o preço das mercadorias dele divergente, o que é algo muito distinto do valor}, "os *custos*, não o outro, a usabilidade, a *utilidade*, o momento do *carecer*" {isto é, a teoria não confunde "valor" e *valor de uso*, o que é certamente desejável para um Confúcio[8] nato como Wagner}.

[8] Um trocadilho entre Confúcio e confuso. (N. E. I.)

"Ela não apenas não corresponde à *formação de valor de troca* no *intercâmbio atual*"[9]

{ele tem em vista a *formação de preço*, o que não muda absolutamente nada na *determinação do valor*: de resto, *ocorre no intercâmbio atual, certainly* [certamente], a *formação do valor de troca*, como bem sabe cada fundador*, falsificador de mercadorias etc., que nada tem em comum com a *formação do valor*, mas tem olhar perspicaz para os valores "formados"; aliás, no que diz respeito à determinação do *valor da força de trabalho*, por exemplo, eu parto do princípio de que o seu valor é efetivamente pago, o que, *de fato, não é o caso*. O sr. Schäffle, em *Kapitalismus* etc., afirma que isso é "magnânimo" ou algo parecido. Ele tem em vista apenas um proceder cientificamente necessário},

> "mas também, como *Schäffle* prova na *Quintessenz*[10] e, particularmente, no *Socialen Körper* [Corpo social][11] de modo excelente e *bem-acabado* (!), não corresponde às relações, tal como elas *precisam necessariamente se configurar no Estado social hipotético de Marx*."

{Portanto, o Estado social, o qual o sr. /8/ Schäffle foi tão cortês em "configurar" para mim, transforma-se no Estado social "*de Marx*" (não no "Estado social" imputado a Marx dentro da hipótese de Schäffle).}

> "Isso se faz demonstrar de modo *contundente*, em especial no exemplo dos cereais e correlatos, cujo *valor de troca*, por conta da influência das colheitas inconstantes junto a um carecer consideravelmente igual, necessariamente precisaria, *mesmo* em

---

9 Em Wagner: *livre* intercâmbio atual. (N. K. I)

* Do alemão *Gründer*. Por si só, o termo "fundador" não diz muita coisa. Mas, ao examinar o dicionário alemão organizado pelos irmãos Grimm, vemos que após 1870, época de significativo crescimento econômico na Alemanha (conhecido como *Gründerjahren* ou *Gründerära*), marcada pelo rápido enriquecimento dos novos empresários e pela crise financeira de 1873, a palavra *Gründer* serviu "como designação para um empresário irreal, falso e fraudulento"; ver: <http://woerterbuchnetz.de/DWB/?sigle=DWB&lemid=GG30997&hitlist=&patternlist=&mode=Vernetzung>, acesso em 6 dez. 2017. Uma opção de tradução seria "especulador", mas preferimos preservar a literalidade de "fundador", visto que denota certo conteúdo histórico ausente naquela opção, a saber, o sentido do termo vigente antes da década de 1870, e indicava, sobretudo, agentes portadores de dinheiro que, após terem estabelecido um contrato social com outros agentes, passavam a vigorar como "fundadores" de uma sociedade acionária. Agradecemos enormemente a Olavo Antunes de Aguiar Ximenes, revisor técnico deste texto, por essa indicação. (N. T.)

10 Referência ao livro de Albert Schäffle, *Die Quintessenz des Socialismus* [A quintessência do socialismo], publicado anonimamente em Gotha no ano de 1875. (N. E. A.)

11 A[lbert] E. Fr. Schäffle, *Bau und Leben des socialen Körpers* [Estrutura e vida do corpo social]. (N. E. I.)

um sistema de *'orçamentos sociais'**, ser regulado *de maneira outra* que *meramente segundo os custos.*"

{Tantas palavras, tantos disparates. Em primeiro lugar, nunca falei em "*orçamentos sociais*"; lido, na *investigação sobre o valor*, com as relações burguesas e não com a aplicação dessa teoria *do valor* ao "Estado social", o qual jamais foi construído por mim, mas para mim por meio do sr. Schäffle. Em segundo lugar: quando, em uma colheita ruim, o preço do grão sobe, primeiro sobe o *valor* dela, porque uma dada massa de trabalho é *realizada em menos produto*; depois, seu *preço de venda* sobe ainda mais. O que isso tem a ver com a minha teoria do valor? Quanto mais o grão[12] é *vendido* acima de *seu valor*, mais as demais mercadorias, seja na forma natural ou na forma-dinheiro, são vendidas *abaixo do seu valor*, mesmo quando seu próprio preço monetário *não* cai. A *soma de valor* permaneceria a mesma, ainda que a expressão de toda essa *soma de valor* em dinheiro fosse aumentada e, portanto, segundo o sr. Wagner, tivesse crescido a soma de "valor de troca". Esse é o caso quando assumimos que a *queda do preço* na soma das outras mercadorias não cobre o *preço de sobrevalor*

---

* Apesar de *taxas sociais* ser uma opção mais intuitiva para *Sozialtaxen*, ela restringe duas possibilidades de sentido – de um lado, taxa como tributo, e de outro, avaliação ou estimativa – à questão tributária. Tal restrição parece inexistir em Wagner, o que é perceptível em uma citação mais adiante, na qual a palavra *Taxen* é referida tanto a um aspecto governamental (*obrigkeitlichen*, isto é, relativo à autoridade, seja ela clerical ou mundana) quanto a um aspecto corporativo ou profissional (*gewerblichen*). O que há de comum em ambos é a ideia do estabelecimento de um valor ou preço (de uma tarifa ou de um bem) a partir de uma decisão individual ou coletiva informada pela percepção da utilidade de um bem ou serviço. Daí optarmos por *orçamento*. As seguintes citações de Wagner dão uma amostra da amplitude desse sentido: "O meio para [organização da distribuição dos bens ganhos mediante a divisão do trabalho] é, no livre intercâmbio, a instituição da troca, ou ainda, da compra e da venda, no qual emerge, então, o valor como *valor de troca* e *preço de contrato*. O valor de troca não é, assim, uma espécie de valor coordenado com o valor de uso, não é nenhuma oposição lógica a ele, mas é um *conceito histórico* [...] que tem próximo de si, no *valor de orçamento* (*Taxwerth*), um outro conceito histórico de valor. [...]. O valor que é atribuído a um bem que possui valor de uso social por conta dessa possibilidade geral de ser objeto de um tal contrato, em particular do contrato de troca, é o seu *valor de troca*. O valor de troca *efetivamente realizado* em um tal contrato é o *preço* (*preço de contrato, preço de concorrência, 'preço livre'* – em oposição ao preço de *orçamento* [*Taxpreis*]) do bem"; Adolph Wagner, *Allgemeine oder theoretische Volkswirtschaftslehre*, cit., p. 48, 54-5. (N. T.)

[12] No manuscrito: o preço do grão. (N. E. A.) No original, *o preço do grão*, evidentemente um erro de escrita. (N. K. I)

(excesso de preço) do grão. Mas, nesse caso, o valor de troca do dinheiro caiu *pro tanto* [na mesma proporção] abaixo do seu valor; a soma de valor de todas as mercadorias não apenas permanece *a mesma*, mas, na verdade, permanece a mesma na *expressão do dinheiro*, se o dinheiro for considerado entre as mercadorias. Além disso: o aumento do preço do grão para além do aumento do seu valor causado pela colheita ruim será, de todo modo, menor no "Estado social" do que com a atual agiotagem do grão. Assim, entretanto, o "Estado social" organizará a produção desde o princípio e de tal modo que o abastecimento anual de cereais dependa apenas minimamente da mudança de tempo e a escala da produção – o abastecimento e a dimensão do uso que aí se inclui – seja regulada racionalmente. Por fim, supondo que as fantasias de Schäffle sobre isso fossem realizadas, o que o "orçamento social" deve provar a favor ou contra minha teoria do valor? Tão pouco quanto as regras de medidas coercitivas tomadas na escassez de meios de subsistência em um navio ou em uma fortaleza ou durante a Revolução Francesa etc., as quais não se preocupam com o *valor*; e o horror que é para o "Estado social" infringir as *leis do valor* do "Estado (burguês) capitalista"[13], e também, portanto, a teoria do valor! Nada além de falatório infantil!}

O mesmo Wagner cita Rau de modo complacente:

> "Para evitar mal-entendidos, é necessário estabelecer o que se quer dizer com *valor em sua simplicidade*; e é adequado à língua alemã escolher, para esse fim, o *valor de uso*." (p. 46)[14]

Derivação (*Ableitung*) *do conceito de valor* (p. 46 sqq. [e seguintes]).

O *valor de uso e o valor de troca* do sr. Wagner devem *d'abord* [primeiro] ser obtidos a partir do *conceito de valor* – diferente de mim, que os derivo

---

[13] No original de Marx está escrito *burguês* sobre a palavra "capitalista". (N. K. I)

[14] No manuscrito, o trecho "[...] se quer dizer com *valor em sua simplicidade*; e é adequado à língua alemã escolher, para esse fim, o *valor de uso*" está marcado, na margem esquerda da folha, com um traço vertical e um "x" à altura de "*valor em sua simplicidade*". A versão do manuscrito publicada em K. I é interrompida aqui. (N. T.) K. H. Rau, *Grundsätze der Volkswirtschaftslehre* [Linhas fundamentais da doutrina nacional-econômica] (Leipzig/ Heidelberg, 1868), primeira parte, p. 88. (N. E. I.)

de um *concretum, da mercadoria** – e é interessante seguir esse *escolasticismo* dentro de sua mais nova *"fundamentação"*[15].

> "É um empenho *natural* do ser humano trazer a *relação* dos *bens* internos e externos com as suas *carências* à *consciência evidente* e ao *entendimento*. Isso ocorre por meio da *avaliação* (*avaliação do valor*), pela qual o *valor* é atribuído aos bens, ou ainda, às coisas do mundo externo, e pela qual o mesmo é medido" (p. 46), e consta na *p. 12*: "Todos os meios para a satisfação das carências se chamam *bens*".

Coloquemos, portanto, na primeira sentença, para a palavra "bem", o seu *conteúdo conceitual* wagneriano, e assim fica a primeira sentença da passagem citada:

"É um empenho *natural 'do' ser humano* trazer a *relação* dos" <u>meios</u> "internos e externos" <u>para satisfação de suas carências</u>** *"com as suas carências* à *consciência evidente* e ao *entendimento*". Podemos simplificar bastante essa sentença ao abandonar "os meios *internos*" etc., assim como faz o sr. Wagner na sentença imediatamente seguinte com esse instantâneo "ou ainda".

/9/ *"O"* ser humano? Se é visada aqui a categoria "ser humano", então ele não tem absolutamente "nenhuma" carência; quando o ser humano confronta isoladamente a natureza, ele deve ser, assim, concebido como animal não gregário; se um ser humano já se encontra em uma forma

---

* Vale fazer, aqui, duas observações. A primeira diz respeito ao texto-base da presente tradução. Em MEW 19 (p. 361-2) se lê: "[...] von einem *Konkretum der Ware*, [...]", o que se traduz corretamente por "de um *concretum da mercadoria*". Entretanto, no manuscrito, há um pequeno traço abaixo da letra "d" que pode ser entendido como uma vírgula, de modo que o trecho ficaria: "[...] von einem *Concretum, d. Waare*", cuja tradução: "[...] de um *concretum, da mercadoria* [...]" é aqui adotada. A segunda se refere ao tensionamento do sentido de *ableiten* nesse trecho. Os dois sentidos detectados nesse caso são marcados pelo uso de diferentes preposições, a saber, *von* e *aus*. Segundo o *Wahrig Deutsches Wörterbuch*, *ableiten aus* tem o sentido de estabelecer a origem ou a causa de algo, como em "obter facilitações a partir de uma lei", o que significa que tais facilitações existem *em razão de* uma lei. Já *ableiten von* conota a formação de algo a partir de outro algo de mesma espécie, como em "derivar palavra de uma outra palavra", isto é, formar palavra mediante anexação de sílabas e sons, mediante apofonia ou estrutura de uma outra palavra. Para marcar esses sentidos, *ableiten aus* foi traduzido como *obter a partir de*, e *ableiten von*, como *derivar de*. Mais que um preciosismo, essa nuance pode indicar uma pista sobre o método de análise praticado por Marx. (N. T.)

[15] No original, *"Grundlegung"*, título da primeira parte da obra de Wagner. (N. E. I.)

** O destaque sublinhado foi adicionado por nós, a fim de evidenciar a substituição que Marx realiza da palavra *bens* por *meios para satisfação de suas carências*. (N. T.)

qualquer de sociedade – e isso supõe o sr. Wagner, pois, para ele, "o" ser humano possui, de qualquer modo, linguagem, mesmo sem qualquer educação universitária –, assim, como ponto de partida, deve ser exibido o caráter determinado desse ser humano social (*gesellschaftlichen Menschen*), isto é, o caráter determinado da comunalidade na qual ele vive, pois, aqui, a produção, portanto, o *processo pelo qual ele ganha* a própria *vida*, já tem algum caráter social.

No entanto, para um mestre-escola professoral, as relações do ser humano com a natureza não são, desde o princípio, *práticas*, não são, portanto, relações fundadas por meio do ato (*Tat*), mas sim *teóricas*, e duas relações dessa espécie estão igualmente encaixadas uma dentro da outra na primeira sentença.

Primeiro: porque, na sentença seguinte, os "*meios externos para satisfação de suas carências*" ou "*bens externos*" se transformam em "*coisas do mundo externo*", a primeira relação encaixada obtém, desse modo, a seguinte figura: o ser humano está *em relação às coisas do mundo externo* como meios para a satisfação de suas carências. Mas os seres humanos não começam de modo algum com o "estar nessa relação teórica com as *coisas do mundo externo*". Eles começam, como todo animal, com o *comer*, o *beber* etc., não começam, portanto, a "estar" em uma relação, mas a *se comportar* (*verhalten*) *ativamente*, a se apoderar de certas coisas do mundo externo por meio do ato e, assim, a satisfazer sua carência. (Eles começam, portanto, com a produção.) Por meio da repetição desse processo, a propriedade dessas coisas de "satisfazer suas carências" se imprime em seu cérebro; os seres humanos, assim como os animais, aprendem, também "teoricamente", a diferenciar, de todas as outras coisas, as coisas externas que servem à satisfação de suas carências. Em um certo grau de progresso (*Fortentwicklung*), após, entrementes, suas carências e atividades – por meio das quais aquelas são satisfeitas – terem aumentado e se tornado mais desenvolvidas, eles batizarão, no âmbito da linguagem, e mesmo em toda classe, essas coisas diferenciadas pela experiência em relação ao restante do mundo externo. Isso necessariamente acontece, pois estão continuamente em contato laborioso entre si e com essas coisas no processo de produção – isto é, no processo de apropriação dessas coisas – e logo, também, têm de entrar em luta com outros para brigar por essas coisas. Mas essa designação da linguagem expressa tão somente como representação aquilo que a reiterada confirmação converteu em experiência, a saber, que certas coisas externas servem aos seres humanos que já vivem em um certo contexto social {esse pressuposto necessário devido à linguagem}, no sentido da satisfação de suas carências. Os seres humanos apenas atribuem a essas coisas um nome particular (*generic* [genérico]), pois já sabem que elas servem para a satisfação de suas carências, pois eles buscam se apoderar das coisas por meio da atividade reiterada de modo mais ou menos frequente e, assim também, buscam mantê-las em sua posse; talvez as chamem de "bem" ou de algo qualquer que expresse o fato de que usam essas coisas de forma prática, de que essas coisas são úteis a eles e dão à coisa esse caráter de utilidade, de modo a entendê-la como possuída por tal caráter, muito embora o fato de ser comestível para o ser humano dificilmente aparecesse (*vorkäme*) a uma ovelha como uma de suas propriedades "úteis".

Portanto: os seres humanos começaram de fato com o ato de se apropriar de certas coisas do mundo externo como meios de satisfação de suas próprias carências etc. etc.; mais tarde, chegaram a designá-las *também por meio da linguagem* como aquilo que elas são para eles na experiência prática, a saber, *meios de satisfação de suas carências*, coisas que os "satisfazem". Caso se chame, agora, essa circunstância – a de que os seres humanos tratam tais coisas não apenas de modo prático, como meios de satisfação de suas carências, mas também as designam na representação e, de modo mais amplo, na linguagem, como suas carências, portanto, como coisas "*que satisfazem*" *a eles mesmos* {enquanto a carência do ser humano não for satisfeita, ele está em *discórdia* com suas carências, portanto, consigo mesmo} –, caso se chame isso, "em bom alemão", de "atribuir um *valor*" a elas, então se provou que o conceito geral de "*valor*" se origina da conduta (*Verhalten*) dos seres humanos para com as coisas encontradas no mundo externo que satisfazem suas carências, e, consequentemente, que esse é o *conceito genérico* (*Gattungsbegriff*) de "*valor*" e todas as outras variedades de valor, como o valor químico dos elementos*, são apenas subespécies daquele[16].

/10/ É "o empenho natural" de um professor alemão de economia obter a categoria econômica "valor" a partir de um "*conceito*", e isso ele alcança quando aquilo que se chama na economia política *vulgo* [de modo coloquial] "valor de uso" é rebatizado, "em bom alemão", por "*valor*" em sua simplicidade (*schlechthin*). E tão logo é encontrado o "valor" em sua simplicidade, ele serve, por sua vez, novamente, para *derivar* o "*valor de uso*" a partir do "valor em sua simplicidade". Deve-se, para isso, apenas pôr de volta o fragmento "de uso", o qual se deixou cair, depois do "valor" em sua simplicidade.

É, de fato, Rau (veja p. 88[17]) quem nos diz modestamente que "é necessário" (para os mestres-escolas professorais alemães) "estabelecer o que se quer dizer com *valor em sua simplicidade*" e quem acrescenta ingenuamente: "e é *adequado à língua alemã escolher*, para esse fim, *o valor de uso*". {Na química, o *valor químico* de um elemento significa o número de vezes que um de seus átomos pode se ligar com átomos de outros

---

* Dado que excertos do tratado de química de Lothar Meyer foram trabalhados por Marx entre 1877 e 1883 (MEGA² IV/31), é bem possível que a ideia de valor químico aqui mobilizada seja a seguinte: "Um dos pressupostos mais essenciais sobre os quais se baseia a pesquisa atual da composição do átomo e da constituição ou estrutura das ligações químicas engendrada por meio dessa composição é a noção *do valor químico do átomo*, o qual se costuma designar como *valência, capacidade de saturação* [...]. [...] Por meio do conceito de valor químico, o conceito de *equivalente químico* – há muito já utilizado, mas nunca rigorosamente realizado – foi desenvolvido pela primeira vez até sua completa clareza e corretamente relacionado ao conceito de *peso atômico*, com o qual ele foi, até então, frequentemente confundido e indiferenciado. *Designamos como valor químico a relação entre o peso atômico e o peso equivalente; o valor químico é, portanto, um número puro e, na verdade, como a experiência ensinou, sempre um número racional. Esse número informa quantas vezes o peso equivalente do referido elemento está contido em seu peso atômico*"; Lothar Meyer, *Die modernen Theorien der Chemie und ihre Bedeutung für die chemische Statik* [As teorias modernas da química e seu significado para a estática química] (2. ed., Breslau, Maruschke & Berendt, 1872), p. 240-1. (N. T.)

16 [Suprimido no manuscrito:] Nas mãos do sr. Wagner, essa "dedução" se torna, entretanto, ainda mais bela, pois ele lida com "*o*" ser humano, não com "os" seres humanos. Assim expressa o sr. Wagner essa "dedução" muito simples: "É um *esforço* (*Streben*) *natural* do ser humano" (leia-se: do professor alemão de economia) "a relação" segundo a qual as coisas do mundo externo não apenas são como meios de satisfação das carências humanas, mas, enquanto tais, são reconhecidas por meio da linguagem e, assim, também servem. (N. E. A.)

17 O número da página se refere ao livro de Rau, *Grundsätze der Volkswirtschaftslehre*; em Wagner, essa passagem se encontra na p. 46. (N. E. A.)

elementos. Mas também o balanceamento de ligação (*Verbindungsgewicht*) do átomo significava equivalência, valor igual de elementos distintos etc. etc. Portanto, precisa-se determinar primeiro o conceito "valor em sua simplicidade" etc. etc.}*

Se o ser humano se refere às *coisas como "meios de satisfação de suas carências"*, então *ele se* refere *a elas como "bens"*, *teste* [veja] *Wagner*. Ele confere a elas o atributo "bem"; o *conteúdo dessa operação* não é alterado de modo algum pelo fato de o sr. Wagner ter rebatizado isso de *"atribuir valor"*. Sua própria consciência preguiçosa chega de pronto "ao entendimento" na sentença que se segue:

> "Isso ocorre por meio da *avaliação* (avaliação *do valor*), pela qual se *atribui valor aos bens, ou ainda,* às *coisas do mundo externo,* e pela qual o valor é *medido.*"

Não queremos gastar mais tinta com o fato de que o sr. Wagner obtém o *valor* a partir da avaliação *do valor* (ele mesmo adiciona entre parênteses "avaliação *do valor*" à palavra *avaliação* para "trazer" a questão (*Sache*) "à consciência evidente e ao entendimento"). "*O* ser humano" tem o "empenho natural" em fazer isso, em "avaliar" os bens como "*valores*", e assim permite ao sr. Wagner *derivar* o desempenho (*Leistung*) do "conceito de *valor* em geral" por ele prometido. Não é em vão que Wagner acrescenta sorrateiramente à palavra "bens", pelo "ou ainda", as "*coisas do mundo externo*". Ele partiu do seguinte: o ser humano se "relaciona" com as "coisas do mundo externo", que são meios de satisfação das suas carências, como "*bens*". Ele *avalia* essas coisas, portanto, precisamente pelo fato de que ele se relaciona com elas como "bens". E nós já tivemos, para essa "avaliação", uma "paráfrase" antiga, que fica assim, por exemplo:

> "Como essência *carente*, o ser humano está em contato contínuo com o *mundo externo que o cerca* e *conhece o fato de que nesse mundo* estão colocadas *muitas condições para sua vida e bem-estar.*" (p. 8)

Isso não significa nada além de que ele "*avalia* as coisas do mundo externo" na medida em que elas satisfaçam sua "essência carente", que elas sejam meios de satisfação das suas carências, e por isso, como

---

* Possível referência a Lothar Meyer, *Die modernen Theorien der Chemie und ihre Bedeutung für die chemische Statik*, cit. Veja nota na página anterior. (N. T.)

ouvimos anteriormente, não significa nada além de que ele se relaciona com elas como "bens".

Agora é possível o seguinte, especialmente se se sente o "empenho" professoral "natural" em derivar o *conceito de valor em geral*: atribuir "às coisas do mundo externo" o predicado "bens", e mesmo *apelidar*, "*atribuir valor*" a elas. Também seria possível dizer: uma vez que o ser humano se relaciona com as coisas do mundo externo que satisfazem a sua carência como "bens", ele as "preza" (*preist*), atribui, assim, "*preço*" (*Preis*) a elas*, e /11/ com isso a derivação do conceito de "*preço* em sua simplicidade" seria fornecida *ready cut* [sob medida] ao professor *germanicus* por meio do modo de proceder "*do*" ser humano. Tudo o que o professor não pode fazer por si mesmo ele deixa "o" ser humano fazer, o qual, entretanto, nada mais é, de fato, do que o *ser humano professoral* que considera ter conceituado o mundo quando o classifica sob rubricas abstratas. Contudo, se "atribuir *valor*" às coisas do mundo externo é, aqui, apenas um outro modo de expressar verbalmente o ato de atribuir a elas o predicado "*bens*", então, com isso, o "*valor*" não é de modo algum, como Wagner quer fazer crer, atribuído aos "*bens*" *por si mesmos* como uma determinação diferente do seu "ser bem". É apenas a palavra "valor" imputada à palavra "bem". {Como vemos, a palavra "*preço*" também poderia ser imputada. Assim como a palavra "*tesouro*" (*Schatz*); pois, enquanto "*o*" ser humano rotula (*stempelt*) certas "coisas do mundo externo" como "*bens*", ele as "avalia" (*schätzt*) e, por isso, se relaciona com elas como com um "*tesouro*" (*Schatz*)**. Vê-se, portanto, como as três categorias econômicas do sr. Wagner, a saber, *valor*, *preço* e *tesouro*, puderam ser conjuradas, de um só golpe, do "esforço natural do ser humano" para fornecer ao professor seu mundo tapado do conceito (da representação).} Mas o sr. Wagner tem o instinto sombrio de escapar de

* O verbo *preisen* significa elogiar, louvar ou glorificar. No entanto, para expressar a sua leitura de Wagner, Marx parece suspender esse sentido ao apontar o resultado desse ato – que aqui traduzimos como "prezar" – como a atribuição do *preço* (*Preis*) às coisas. Assim, a qualidade econômica da coisa resultaria do modo como o ser humano lida com ela. Tal seria, para Wagner, o fundamento das categorias econômicas. (N. T.)

** Ocorre aqui o mesmo caso de suspensão de sentido apontado na nota anterior: as coisas são avaliadas (*geschätzt*) pelo ser humano e, por isso, elas aparecem para ele como tesouro (*Schatz*). (N. T.)

seu labirinto de tautologia e de obter ardilosamente um "além de algo" ou "algo além". Daí a frase: "pela qual o *valor* é *atribuído* aos bens, *ou ainda*, às coisas do mundo externo etc.". Porque o sr. Wagner apelidou, como já foi visto, o rotular das "coisas do mundo externo" como *bens* – isto é, o *marcar* e o *fixar* das mesmas (na representação) como *meios de satisfação* das carências humanas – de "*atribuir valor* a essas coisas", ele não pode, então, nomear esse rotular de atribuir *valor* "aos *bens*" por si mesmos, e tampouco poderia dizer que se *atribui valor* ao "valor" das coisas do mundo externo. Mas o *salto mortale* [salto mortal] é dado na palavra "*atribuir valor* aos *bens, ou ainda,* às coisas do mundo externo". Wagner precisaria dizer: rotular certas coisas do mundo externo como "*bens*" pode também ser *nomeado* de "*atribuir valor*" a essas coisas, e esse rotular é a *derivação* wagneriana *do "conceito de valor"* em sua simplicidade ou em geral. O *conteúdo* não é alterado por meio dessa *mudança* da expressão da linguagem. O rotular é sempre apenas o *marcar* ou *fixar na representação* das coisas do mundo externo que são meios de satisfação das carências humanas; portanto e de fato, é apenas o *conhecimento e reconhecimento de certas coisas do mundo externo como meios de satisfação das carências "do"* ser humano (que, enquanto tal, contudo e de fato, sofre da "carência de conceito").

Mas o sr. Wagner quer fazer crer a nós ou a si mesmo que ele, em vez de dar dois nomes ao mesmo teor (*Gehalt*), pelo contrário, avançou da determinação "bem" para uma distinta dessa, mais desenvolvida, a *determinação* "valor", e isso ocorre simplesmente mediante o fato de que ele imputa às "coisas do mundo externo" pelo "*ou ainda*" a palavra "bem", um processo que volta e meia se torna "obscurecido" pelo fato de que ele imputa "aos bens" pelo "*ou ainda*" as "coisas do mundo externo". Sua própria confusão alcança, assim, o efeito seguro de confundir o seu leitor. Ele poderia ainda inverter essa bela "derivação" como segue: quando o ser humano *distingue* as coisas do mundo externo, que são meios de satisfação de suas carências, como tais meios de satisfação em relação às demais coisas do mundo externo e, assim, ele as *marca,* as *torna dignas,* ele atribui *valor a elas* ou dá a elas *o atributo "valor"*; pode-se ainda expressar isso da seguinte forma: ele confere a elas o atributo "*bem*" como sinal de caráter (*Charaktermal*) ou as considera ou as avalia como "bem". Por meio disso é *atribuído* o conceito "*bem*" aos "*valores*", *ou ainda*, às coisas do mundo externo. E assim o conceito de "bem" em geral é "derivado" do conceito de "valor". Em todas as *derivações* assim realizadas se trata apenas de *distrações* da tarefa de cuja solução não se está à altura.

Mas o sr. Wagner passa, de um só fôlego e com toda velocidade, do "valor" *dos bens* para o "*medir*" desse valor.

/12/ O conteúdo permaneceria absolutamente o mesmo ainda que a palavra valor não tivesse sido, de modo algum, contrabandeada para dentro dele. Poderia ser dito: enquanto o ser humano rotula certas coisas do mundo externo etc. como "*bens*", ele compara cada vez mais esses "bens" entre si e, de acordo com a hierarquia de suas carências, leva-os a uma certa ordenação classificatória, isto é, caso se queira assim nomear, "*mede-os*". Aqui não é permitido de modo algum a Wagner falar do desenvolvimento das *medidas efetivas desses bens*, isto é, do desenvolvimento das suas *medidas de grandeza*, pois isso lembraria vivamente aos leitores o quão pouco se trata aqui do que é entendido sob a expressão "*medir o valor*".

{O fato de que o *marcar* (indicar) como "*bens*" as coisas do mundo externo que são meios de satisfação das carências humanas também pode ser *apelidado* de "atribuir valor" a essas coisas, Wagner o pôde demonstrar não apenas a partir da "língua alemã", como Rau, mas também a partir de que aí está a palavra latina *dignitas* = *dignidade, respeitabilidade, classificação* etc., que, atribuída às coisas, significa também "*valor*"; *dignitas* é derivada de *dignus*, e esta de *dic, point out, show, marcar, mostrar*; *dignus* quer dizer, portanto, *pointed out*; daí também *digitus*, o dedo, com o que se mostra uma coisa que se busca indicar; *grego*: δείκ-νυμι [*deík-nymi*], δάκ-τυλος [*dák-tylos*] (*finger* [dedo]); *gót[ico]*: ga-tecta (*dico* [digo]); *alemão*: *zeigen* [mostrar]; e poderíamos, ainda, levar em conta muitas outras "derivações", de que δείκνυμι [*deíknymi*] ou δεικνύω [*deiknýō*] (tornar visível, trazer à luz, *indicar*) tem a raiz fundamental δέχ [*dékh*] (fazer esperar, *tomar*) em comum com δέχομαι [*dékhomai*].}

Tamanha banalidade, caos tautológico, pedantismo, maracutaia, o sr. Wagner apronta em menos de sete linhas.

Não é de admirar que esse homem sombrio (*vir obscurus**) prossiga com grande autoconfiança após esta obra de arte:

> "O *conceito de valor* – multiplamente polêmico e ainda *obscurecido* por algumas *investigações* frequente e apenas *aparentemente profundas* – desenvolve-se simplesmente" (*indeed* [de fato]) {*rather* [ou melhor], "envolve"-se}, "se, como foi feito até aqui," {a saber, em Wagner} "parte-se da carência e da *natureza econômica* do ser humano e se alcança o *conceito de bem* e *a este* refere o *conceito de valor*." (p. 46)

Tem-se aqui a economia *do conceito*, cujo suposto desenvolvimento pelo *vir obscurus* desemboca no "referir" (*Anknüpfen*) e, de certo modo, no "desferir" (*Aufknüpfen*)**.

*Outra derivação do conceito de valor****:

Valor subjetivo e objetivo. Subjetivamente e no *sentido mais geral*, o *valor do bem* = *importância*, que "é atribuída *ao bem* [...] *em função de sua utilidade* [...] [ele não é] *nenhuma* propriedade das coisas em si, mesmo que tenha

---

* Lemos no verbete "Dunkelmann" (homem sombrio) do dicionário dos irmãos Grimm: "Nos tempos mais recentes [meados do século XIX], um nome pejorativo para aqueles que incitam negligentemente à restauração de condições ou noções extintas, na maioria das vezes em referência religiosa. Os homens sombrios buscavam se fazer legítimos"; ver: <http://woerterbuchnetz.de/cgi-bin/WBNetz/wbgui_py?sigle=DWB&mode=Vernetzung&lemid=GD05642#XGD05642>, acesso em 6 dez. 2017. A expressão latina *vir obscurus* aparece de modo significativo na literatura alemã no começo do século XVI por meio de uma obra satírica intitulada *Epistolae obscurorum virorum* [Cartas dos homens sombrios]. Nesse livro, os humanistas alemães ridicularizaram a escolástica, haja vista sua defesa da queima de escritos judaicos – contra a qual aqueles humanistas se colocavam; para maiores detalhes, veja Hans Rupprich, *Die Deutsche Literatur vom späten Mittelalter bis zum Barock*. Teil 1: *Das ausgehende Mittelalter, Humanismus und Renaissance 1370-1520*, parte VI: *Vom Renaissence-Humanismus zur Reformation* [A literatura alemã da Baixa Idade Média ao Barroco. Tomo I: A Idade Média tardia, humanismo e Renascimento 1370-1520, parte VI: Do humanismo renascentista à Reforma] (Munique, Beck, 1994). Vemos, em ambas as referências, o sentido de "atraso" que o termo imprime nos sujeitos que 'resistem ou investem contra eventos históricos, ideias, correntes etc. postos como "novos" ou "modernos". Não é deestranhar que a busca pela fundamentação teórica dessa resistência ou investida contra o novo efetivo, posto à revelia das vontades, redundasse em discursos envoltos em confusão, como Marx aponta em Wagner. (N. T.)

** O jogo de palavras *Anknüpfen – Aufknüpfen* pode apresentar, pelo menos, dois sentidos. Um seria a oposição entre atar, amarrar ou vincular, de um lado, e enforcar, de outro, o que conotaria o juízo de que as várias vinculações (ou referenciações) realizadas por Wagner resultariam, de certo modo, no sufocamento do seu objeto. O outro sentido seria a oposição entre atar, vincular ou referenciar, de um lado, e desatar, desvincular ou soltar, de outro. Nesse caso, as referenciações de Wagner terminariam por "soltar" ou indeterminar as categorias por ele tratadas. Ambas respeitam os significados dos verbos e são, desse modo, possíveis. Mas, dada a constante menção à confusão de Wagner, optamos, enfim, pelo segundo sentido proposto, o qual buscamos traduzir pela oposição entre referir e desferir. (N. T.)

*** A versão do manuscrito publicada em K. I continua a partir desse ponto. (N. T.)

objetivamente a utilidade de uma coisa por pressuposto" {tenha, portanto, o *valor "objetivo"* por pressuposto} "[...] Em sentido *objetivo*, entende-se, assim, por *'valor'*, *'valores'*, também os *bens que têm valor*, no que (!) bem e valor, bens e valores *se tornam*, no essencial, conceitos idênticos" (p. 46, 47).

Uma vez que Wagner nomeou aquilo que habitualmente é apelidado de *"valor de uso"* como *"valor em geral"*, como *"conceito de valor"* em sua simplicidade, não pode, de modo algum, faltar a ele a lembrança de que "o valor assim" (ora, ora!) "derivado" (!) é o *"valor de uso"*. Uma vez que ele nomeou apenas o "valor de uso" como "conceito de valor" em geral, como "valor em sua simplicidade", descobriu, em seguida, que ele apenas disse bobagens sobre o "valor de uso" e, portanto, o "derivou", pois, para ele, dizer bobagens e derivar são, "no essencial", operações idênticas do pensar. Mas, nessa oportunidade, experimentamos o que há de subjetivo junto à confusão conceitual até então "objetiva" das pp. [páginas] de Wagner. Ele nos revela, /13/ pois, um segredo. Rodbertus havia escrito uma carta a ele, a ser lida no *Tübinger Zeitschrift*[18] de 1878, na qual ele, Rodbertus, explica por que existe "apenas uma espécie de valor", o valor de uso.

> "Eu" (Wagner) "me filiei a essa concepção, cuja importância já destaquei na primeira edição."

Sobre [aquilo] que diz Rodbertus, diz Wagner:

> "Isso é completamente correto e necessário para uma alteração da habitual e ilógica *'divisão'* do *'valor'* em *valor de uso e valor de troca*, como eu também havia realizado no § 35 da primeira edição" (p. 48, nota 4),

e o mesmo Wagner me classifica (p. 49, nota) entre as pessoas segundo as quais o "valor de uso" deve se tornar totalmente "afastado" "da ciência".

Tudo isso são "baboseiras". *De prime abord* [inicialmente], eu não parto de "conceitos", portanto, nem mesmo do "conceito de valor", e, assim, de modo algum tenho também que o "dividir". Parto da forma social mais simples na qual o produto do trabalho se apresenta dentro da

---

[18] *Zeitschrift für die gesamte Staatswissenschaft* [Periódico para toda ciência pública] – revista liberal, político-econômica, editada com interrupções entre 1844 e 1943 em Tübingen. A carta de Rodbertus a Wagner foi publicada no tomo 34 do periódico, no artigo de Wagner "Einiges von und über Rodbertus-Jagetzow" [Algo de e sobre Rodbertus-Jagetzow]. (N. E. A.)

sociedade atual, e essa forma é a "*mercadoria*". Eu a analiso, em primeiro lugar, precisamente dentro da *forma pela qual ela aparece*. Aqui descubro, então, que, de um lado, ela é, dentro de sua forma natural, uma *coisa de uso*, também conhecida como *valor de uso*; de outro lado, ela é *portadora* (*Träger*) *de valor de troca* e, desse ponto de vista, é, por si mesma, "valor de troca". A análise posterior desse último me mostra que o valor de troca é apenas uma "*forma* de manifestação", modo autônomo de apresentação do *valor* contido na mercadoria, e então inicio a análise do valor. Consta, assim, expressamente, p. 36, segunda edição[19]: "Quando se disse, no início deste capítulo, na maneira usual: a mercadoria é valor de uso e valor de troca, isso era, a rigor, falso. A mercadoria é valor de uso ou objeto de uso e 'valor'. Ela se apresenta como esse duplo que ela é, assim que *seu valor* possua uma *forma de manifestação* própria, *diversa* da sua forma natural, a forma do *valor de troca*"[20] etc. Eu não cindo, portanto, *o* valor em valor de uso e valor de troca enquanto oposições, dentro do que o abstrato, "o valor", se racha ao meio, mas sim a *figura concreta e social* do produto do trabalho; "*mercadoria*" é, de um lado, valor de uso e, de outro, "valor", não valor de troca, pois a mera forma de manifestação não é o *conteúdo* próprio dela.

Em segundo lugar, apenas um *vir obscurus* que não entendeu uma palavra de *O capital* pode concluir: porque Marx rejeita todo falatório professoral alemão sobre "valor de uso" em geral em uma nota para a primeira edição de *O capital*[21], e remete aos "manuais sobre

---

[19] O número da página se refere à segunda edição do Livro I de *O capital* (Hamburgo, 1872). (N. E. A.)

[20] Compare o tomo 23 de nossa edição [MEW 23], p. 75 [Karl Marx, *O capital*, Livro I, cit., p. 136]. (N. E. A.)

[21] A nota mencionada por Marx se encontra em *Para a crítica da economia política* (veja MEW 13, p. 16). (N. E. A.) ["O valor de uso em sua indiferença frente à determinação econômica formal, isto é, valor de uso em si mesmo, fica além do campo de investigação da economia política" (Karl Marx, *Manuscritos econômico-filosóficos e outros textos escolhidos* (3. ed., São Paulo, Abril Cultural, 1985, p. 136). É interessante notar que, apesar de Marx fazer referência a uma nota para a primeira edição de *O capital* publicada em 1867, tanto a edição alemã do manuscrito aqui traduzido (que é de 1987) quanto a tradução inglesa (de 1989) fazem referência ao seu trabalho publicado em 1859. Segundo nos informa Secco, em "Notas para a história editorial de *O capital*" (*Novos Rumos*, ano 17, n. 37, 2002), a primeira edição de *O capital* teve tiragem de mil exemplares, a qual se esgotou somente em 1871, quatro anos após sua publicação. A essa edição se sobrepuseram não apenas a segunda edição alemã de 1873, mas

merceologia" os leitores que querem saber algo sobre valores de uso efetivos, o *valor de uso* não tem qualquer função para ele. Ele não exerce, naturalmente, o papel do seu contrário, do "valor", que nada tem em comum com ele além do fato de que "valor" aparece no nome "valor de uso". Wagner poderia dizer, igualmente, que o "valor de troca" é posto de lado por mim porque é apenas a forma de manifestação do valor, mas não o "valor", pois, para mim, o "valor" de uma mercadoria não é nem seu valor de uso nem seu valor de troca.

Quando é preciso analisar a "mercadoria" – o *concretum* econômico mais simples –, precisa-se manter afastadas todas as conexões (*Beziehungen*) que não dizem respeito ao objeto de análise em consideração. O que há, entretanto, para dizer da mercadoria, na medida em que ela é valor de uso, eu disse então em poucas linhas, mas, por outro lado, destaquei a *forma característica* na qual aparece aqui o valor de uso – o produto do trabalho –, a saber: "Uma coisa[22] pode ser útil e produto do trabalho humano sem ser mercadoria. Quem satisfaz sua própria carência por meio do seu produto cria, precisamente, valor de uso, mas não mercadoria. Para produzir mercadoria, *ele precisa produzir não apenas valor de uso*, mas *valor*

também a edição francesa de 1872-1875 – isso sem mencionar a terceira e quarta edições alemãs publicadas por Engels, respectivamente em 1883 e 1890. Dado o caráter "definitivo" da quarta edição, a restrição da circulação da primeira se fez sentir até a segunda metade do século XX. Para se ter uma ideia dessa restrição e de seu significado para um dos desenvolvimentos teóricos do legado de Marx, é interessante o testemunho de Reichelt em seu *Neue Marx-Lektüre: Zur Kritik sozialwissenschaftlicher Logik* [Nova leitura de Marx: para a crítica da lógica sociocientífica] (Freiburg, ça ira Verlag, 2013, p. 11), segundo o qual o programa e os problemas da *Neue Marx-Lektüre* se iniciaram quando Hans-Georg Backhaus descobriu, por acaso, "em 1963, na moradia estudantil Walter Kolb, em Frankfurt, um dos raros exemplares da primeira edição de *O capital*, de 1867 [...]". Só em 1983 a MEGA republicaria o texto, ainda que com uma tiragem pouco expressiva. Nesse sentido, a primeira edição de *O capital* não parece gozar de grande prestígio entre os marxistas europeus do século XX, com exceção daqueles interessados em ver o trabalho máximo de Marx como uma obra inacabada. Por fim, a indicação que faz o manuscrito – que coincide, afinal, com o teor textual da quarta edição – parece ser a seguinte: "Os valores de uso das mercadorias fornecem o material de uma disciplina própria, a *merceologia*. (Nota 5: Domina, na sociedade burguesa, a *fictio juris* de que cada ser humano, por ser comprador de mercadorias, possui uma noção enciclopédica das mercadorias.) O valor de uso se efetiva apenas no uso ou na consumação. Valores de uso formam *o conteúdo material da riqueza*, qualquer que seja sua *forma social*. Na forma de sociedade a ser considerada por nós, eles formam simultaneamente os portadores materiais do – *valor de troca*" (MEGA² II/5, p. 18, grifos da edição). – N. T.]

22 No manuscrito: produto. (N. E. A.)

de uso para outro, valor de uso social"[23] (p. 15)[24]. {Essa é a raiz do "*valor de uso social*" de Rodbertus.} Com isso, o valor de uso[25] – como valor de uso da "mercadoria" – possui, por si mesmo, um caráter histórico-específico. Na comunalidade primitiva, na qual, por exemplo, os meios de subsistência são produzidos e repartidos em comunidade entre os parceiros do agrupamento (*Gemeindegenossen*), o produto comum satisfaz diretamente as carências vitais de cada parceiro, de cada produtor; o caráter social do produto, do valor de uso, repousa, aqui, no *seu caráter* (*comum*) *comunitário*. {Todavia, o sr. Rodbertus transforma o "valor de uso social" da *mercadoria* em "valor de uso social" em sua simplicidade e aí diz bobagens.}

/14/ Como resulta do que se disse acima, seria, portanto, pura baboseira "referir", na análise da mercadoria – porque ela se apresenta, por um lado, como valor de uso ou bem e, por outro, como "valor" –, nessa oportunidade, toda sorte de reflexões banais sobre valores de uso ou bens que não fazem parte do âmbito do mundo das mercadorias, como "bens públicos" (*Staatsgüter*), "bens dos agrupamentos" (*Gemeindegüter*) etc. – como o faz Wagner e o professor alemão *in general* [em geral] –, ou sobre o bem "saúde" etc. Onde o Estado é por si mesmo produtor capitalista, como na exploração de minas, florestas etc., o seu produto é "mercadoria" e possui, por isso, o caráter específico de qualquer outra mercadoria.

Por outro lado, o *vir obscurus* fez vista grossa para o fato de que, já na minha análise da mercadoria, não me detenho no modo duplo pelo qual ela se apresenta, mas logo continuo adiante ao mostrar que dentro desse ser duplo da mercadoria se apresenta o *caráter* dúplice do *trabalho*, do qual ela é, por sua vez, produto: do trabalho útil, isto é, dos modos concretos dos trabalhos que criam valores de uso, e do *trabalho* abstrato, do *trabalho enquanto dispêndio de força de trabalho*, indiferente ao modo "útil" dentro do qual ele é dispendido (sobre o que se baseia, mais tarde, a apresentação do processo de produção); fez, ainda, vista grossa para o fato de que, no desenvolvimento da *forma-valor da mercadoria*, em última instância, da sua

[23] Compare o tomo 23 de nossa edição [MEW 23], p. 55 [Karl Marx, *O capital*, Livro I, cit., p. 118-9]. (N. E. A.)

[24] O número da página se refere à segunda edição do Livro I de *O capital* (Hamburgo, 1872). (N. E. A.)

[25] Aqui seguem, no original, as palavras riscadas: "na produção de mercadorias por si mesma". (N. K. I)

forma-dinheiro, portanto, do *dinheiro*, o *valor* de uma mercadoria se apresenta no *valor de uso* de outra, ou seja, na forma natural de outra mercadoria; e, também, para o fato de que o *mais-valor* é, por si mesmo, obtido a partir de um *valor de uso* "específico", o *da força de trabalho*, o qual convém exclusivamente a ela etc. etc., que, portanto, para mim, o valor de uso exerce um papel importante e completamente diverso daquele exercido na economia até agora, e que, contudo, ele é considerado tão somente, *notabene* [note bem], quando tal consideração provém da análise de configurações (*Gestaltungen*) econômicas dadas, não do raciocínio ruminante sobre os conceitos ou as palavras "valor de uso" e "valor".

Por isso, definições de "capital" não são prontamente referidas na análise da mercadoria, nem mesmo por ocasião de seu "valor de uso", as quais só podem ser pura insensatez, visto que estamos unicamente detidos na análise dos elementos da mercadoria.

Entretanto, o que aborrece (choca) o sr. Wagner em minha apresentação é que não faço aquilo que lhe agrada, isto é, seguir o "empenho" professoral germano-patriótico e confundir valor de uso e valor. Ainda que muito *post festum* [após a festa, tarde], a sociedade alemã está cada vez mais distante da economia feudal de subsistência (*feudalen Naturalwirtschaft*), ou pelo menos do seu predomínio, tendo, assim, alcançado a economia capitalista, mas os professores ainda permanecem com um pé na velha lama, o que é natural. De servos dos latifundiários, eles se transformaram em servos do Estado, vulgo governo. Por isso diz também nosso *vir obscurus*, que nunca notou que meu método *analítico*, o qual parte não *do* ser humano, mas do período da sociedade economicamente dado, nada tem em comum com o método germano-professoral de referir conceitos ("com palavras se deixa com excelência disputar, com palavras um sistema preparar"*), por isso mesmo ele diz:

* J. W. Goethe, *Fausto*, primeira parte, "Quarto de estudo". (N. E. I.) Segundo Marc Shell, essa citação visa a "[...] ridicularizar os erros que Adolph Wagner comete, assim como o Wagner de Goethe, acerca da linguagem e da linguagem da economia", em *Money and the Mind: the Economics of Translation in Goethe's Faust* [Dinheiro e mente: a economia da tradução no *Fausto* de Goethe] (MLN, v. 95, n. 3, German Issue, abr. 1980, p. 525). Desse modo, Marx aproxima e compara as duas figuras (algo que ficará explícito mais adiante), formatando esteticamente sua crítica ao economista Wagner a partir do conteúdo literário-filosófico de Goethe. A seguinte fala de Fausto a Wagner (versos 565-74) é ilustrativa dessa aproximação: "Lucro honesto/ Buscai somente, e não sejais qual bobo/ Presunçoso e loquaz. O senso

"Em acordo com a concepção de *Rodbertus* e também com a de *Schäffle*, eu ponho à frente o caráter de *valor de uso de todo valor* e enfatizo tanto a avaliação do valor de uso, *porque* a avaliação do valor de troca de muitos dos mais importantes bens econômicos é simplesmente impraticável" {o que o coage a se justificar? é que, como servidor do Estado, ele se sente obrigado a confundir valor de uso e valor!}; "*tal não* é o caso *do Estado e seus serviços*, nem de outras relações econômico-comunais". (p. 49, nota)

{Isso lembra os velhos químicos antes da ciência da química: porque a manteiga de cozinha – que significa, na vida ordinária, simplesmente manteiga (segundo o costume nórdico) – tem uma consistência mole, eles nomeavam os *cloretos* de *manteiga de zinco, manteiga de antimônio* etc. caldos da manteiga, portanto, para falar como o *vir obscurus*, persistiam no caráter *de manteiga* de todos os cloretos, de todas as conexões de zinco, de antimônio.} O falatório se reduz a: para que certos bens, a saber, *o Estado* (um bem!) e seus "*serviços*" (a saber, os serviços dos seus professores de economia política), *não* sejam "mercadorias", os caracteres opostos entre si contidos dentro das "mercadorias" por si mesmas {caracteres esses que aparecem *expressamente* também dentro da *forma-mercadoria* do produto do trabalho} precisam ser confundidos uns com os outros! No caso de Wagner e consortes é, de resto, difícil de afirmar que eles ganham mais quando seus "serviços" são determinados segundo o seu "valor de uso", segundo o seu "teor" reificado (*sachlichem "Gehalt"*), do que quando são determinados segundo o seu "*ordenado*" ("*Gehalt*") (mediante o "orçamento social", como Wagner o expressa), ou seja, "avaliados" segundo o seu *pagamento*[26].

---

recto,/ O claro entendimento, por si mesmos/ Sem muit'arte se expõem. Pois se tiverdes/ Que dizer cousas sérias, é preciso/ Excogitar palavras? Sim, os vossos/ Discursos reluzentes, ostentando/ Ante os ouvintes crespas maravalhas,/ Áridos são como os ventos de outono/ Que nas folhas mirradas rumoreja" (tradução de Agostinho d'Ornellas). (N. T.)

[26] A palavra alemã *Gehalt* significa tanto *conteúdo* quanto *salário*. (N. E. I.) [Acrescentamos que essa distinção se dá pelo gênero do substantivo: enquanto o primeiro sentido diz respeito a "*der* Gehalt", o segundo está ligado a "*das* Gehalt". Nesta tradução, optamos por traduzir "der Gehalt" por "teor", liberando "conteúdo" para "Inhalt". Definimos, ainda, o uso de "ordenado" para "das Gehalt", a fim de que não se confunda esse termo com "Lohn", utilizado por Marx em *O capital* para designar "salário". Há, ainda, uma outra questão sobre essa passagem. Ocorre que, ao analisar o manuscrito, percebemos duas inconformidades em MEW 19 (p. 372). Primeira: o parêntese final em "(*durch 'Sozialtaxe', wie Wagner das ausdrückt*) *bestimmt* [...] *werden*" – traduzido por "são determinados [...] (mediante o 'orçamento social', como o expressa Wagner)" – está deslocado para a frente, de modo que

/15/ {A única coisa que está nitidamente na base da estupidez alemã é que, do ponto de vista da língua, as palavras *valor* (*Wert*) ou *dignidade* (*Würde*) foram empregadas, de início, às coisas por si mesmas úteis, que existiram há muito tempo, mesmo como "produtos do trabalho", antes de se tornarem *mercadoria*. Entretanto, isso tem a ver com a determinação científica do "valor"-mercadoria precisamente tanto quanto a circunstância de que a palavra *sal* foi empregada pelos antigos, de início, para o sal de cozinha e, portanto, também os *açúcares* etc. figuram, desde Plínio, como *espécies de sal* {*indeed* [na verdade], todos os corpos sólidos, incolores, solúveis na água e com sabor peculiar}, pelo que a categoria química "sal" apreende em si os açúcares etc.}

{Dado que a mercadoria seja comprada pelo comprador não porque ela tenha valor, mas porque ela seja "valor de uso" e seja usada para finalidades determinadas, é desnecessário dizer que: 1. os valores de uso são "avaliados", ou seja, sua *qualidade* é investigada (bem como sua *quantidade* é medida, pesada etc.); 2. quando diferentes espécies de mercadorias podem ser substituídas entre si para a mesma aplicação útil, a preferência é dada a essa ou aquela etc. etc.}

Em gótico, há apenas uma palavra para *valor* e *dignidade*: *vairths*, τιμή [*timé*], {τιμάω [*timáō*] – *avaliar*, isto é, aferir; determinar o *preço* ou *valor*; *orçar*; *tornar metaforicamente digno, apreciar, levar em consideração, marcar*. Τιμή [*timé*] – *avaliação*, daí: determinação do valor ou do preço, aferição, estimação. Assim: *avaliação do valor*, também *valor*, *preço por si mesmo* (Heródoto, Platão), αί τιμαί [*aí timaí*] – *despesas* em Demóstenes. Assim:

---

bestimmt está dentro dos parênteses, o que, por si só, altera o sentido da passagem. Segunda: o fato de que *ausdrückt* [expressa] esteja junto de *bestimmt* [determina], comprometendo, assim, o sentido da oração, leva-nos a desconfiar da transcrição do primeiro verbo no trecho analisado ou de uma supressão esquecida. Surgem, daí, três hipóteses para esse problema: 1. Marx teria esquecido de suprimir um dos dois verbos; 2. *ausdrückt* seria, na verdade, *ausdrücklich* [expressamente] grafado de modo abreviado (*ausdrückl.*); e 3. *ausdrückt* seria, na verdade, *anderseits* [por outro lado]. Contudo, a divergência entre essas hipóteses não altera a validade da primeira inconformidade, de modo que seja possível ler o trecho da seguinte maneira: "No caso de Wagner e consortes é, de resto, difícil de afirmar que eles ganham mais quando seus 'serviços' são 'avaliados' segundo seu 'valor de uso', segundo seu 'teor' reificado, do que quando são 'avaliados' segundo o seu '*ordenado*' (mediante o 'orçamento social', como Wagner [*expressamente o determina* ou *por outro lado o determina* ou *o expressa*]), ou seja, segundo seu *pagamento*" – N. T.]

avaliação do valor, honra, atenção, lugar de honra, posto honorário etc., *Griechisch-Deutsches Lexicon* de *Rost*[27].}

Valor, preço (*Schulze, Glossar*)[28], *gótico*: *vairths*, adj., ἄξιος [*áxios*], ἱκανός [*íkanós*]; *nórdico antigo*: *verdhr*, dignificado, *verdh*, *valor*, *preço*; *anglo-saxão*: veordh, *vurdh*; inglês: *worth*, adj. e subst. *valor* e *dignidade*.

"*alto-alemão médio* (*mittelhochdeutsch*): *wert*, genitivo *werdes*, adjetivo *dignus* e, de modo similar, *pfennincwert*.
-*wert*, genitivo *werdes*, Werth [valor], Würde [dignidade], Herrlichkeit [esplendor], *aestimatio*, *Ware von bestimmtem Werth* [mercadoria de determinado valor], por exemplo, *pfenwert*, *pennyworth*.
-*werde*: meritum, *aestimatio*, dignitas, wertvolle Beschaffenheit [constitucionalidade plena de valor]." (*Ziemann, Mittelhochdeutsches Wörterbuch*)[29]

Valor e *dignidade* se correlacionam, portanto, segundo etimologia e significado. O que a questão (*Sache*) esconde é o *modo de flexão* do valor (*Wert*) convencionalmente tornado *inorgânico* (falso) no alto-alemão novo (*Neuhochdeutsch*): Werth, Wer*thes* em vez de Wer*des*, pois o *d* do alto-alemão corresponde ao *th* gótico, e não *th* = *t*, e tal é o caso também no alto-alemão médio (*wert*, genitivo *werdes*, *loc. cit.*). Segundo a regra do alto-alemão médio, a letra d ao fim da palavra precisaria se tornar *t*, portanto *wert* em vez de *werd*, mas com o genitivo *werdes*.

Entretanto, tudo isso tem a ver com a categoria econômica "valor" precisamente tanto quanto tem a ver com o *valor químico dos elementos químicos* (atomicidade) ou com os equivalentes químicos ou equivalências (balanceamentos de ligação dos elementos químicos).

Além disso, deve-se notar que, mesmo nessa conexão (*Beziehung*) própria do âmbito da linguagem – se resulta, por si mesma, da identidade originária de *dignidade* (*Würde*) e *valor* (*Wert*), assim como da natureza da questão (*Sache*), o fato de que essa palavra também se referiu às coisas (*Sachen*), aos produtos do trabalho na sua forma natural –, a palavra, mais tarde e sem alterações, foi transferida diretamente aos *preços*, i.e., ao valor em sua forma-valor desenvolvida – i.e., valor de

---

[27] V. Ch. Fr. Rost, *Deutsch-Griechisches Wörterbuch* [Dicionário germano-grego], segunda parte, M-Z (Göttingen, 1829), p. 359. (N. E. I.)

[28] E. Schulze, *Gotisches Glossar* [Glossário gótico] (Magdeburg, 1847), p. 411. (N. E. I.)

[29] A. Ziemann, *Mittelhochdeutsches Wörterbuch zum Handgebrauch* [Dicionário de alto-alemão médio para uso manual] (Quedlinburg/Leipzig, 1838), p. 634-5. (N. E. I.)

troca, o que tem tão pouco a ver com a questão (*Sache*) quanto com o fato de a mesma palavra seguir sendo aplicada para dignidade em geral, para posto honorário etc. Portanto, do ponto de vista da linguagem, não há, aqui, distinção entre valor de uso e valor.

/16/ Voltemo-nos, agora, para o fiador do *vir obscurus*, para *Rodbertus* {cujo artigo deve ser conferido na *Tübinger Zeitschrift*}. O que o *vir obscurus* cita de Rodbertus é o seguinte:

No *texto, na p. 48*:

> "Há apenas *uma espécie de valor*, e é o valor de uso. Este é valor de uso *individual* ou valor de uso *social* (*sozialer*). O primeiro está diante do indivíduo e sua carência, sem qualquer consideração por uma organização social (*sozialen*)."

{Essa é uma baita tolice (cf. *O capital*, p. 171[30]), na qual, entretanto, é dito que o *processo de trabalho* como atividade adequada (*zweckmäßige*) à feitura de valores de uso etc. "é *igualmente comum* a todas as suas" (da vida humana) "*formas de sociedade*" e "independente de cada uma delas"[31]. Primeiramente, não é a palavra "valor de uso" que está diante do indivíduo, mas sim *valores de uso concretos*, e depende completamente do nível do processo social (*gesellschaftlichen*) de produção *quais desses* "estão diante" dele (para esses humanos tudo "está"; tudo é "estamental")[32], o que, portanto, corresponde também a "uma organização social (*sozialen*)". Mas Rodbertus quer apenas dizer o trivial, que o valor de uso, que efetivamente está diante de um indivíduo como objeto de uso, está diante dele, para isso, como valor de uso individual, e isso é uma tautologia trivial ou, ainda, falsa, pois não se fala de coisas tais como arroz, milho ou trigo ou não se fala de carne {a qual não está diante de um hindu como meio de nutrição}; a carência de um título de professor ou de membro de um ministério ou a carência de uma ordem é possível a um indivíduo apenas em uma "organização social (*sozialer*)" completamente determinada.}

> "O segundo é o *valor de uso* que tem um organismo *social* (*sozialer*) que se compõe a partir de muitos organismos individuais (ou indivíduos)." (p. 48, no texto)

---

[30] O número da página se refere à segunda edição do Livro I de *O capital* (Hamburgo, 1872). (N. E. A.)

[31] Cf. tomo 23 de nossa edição [MEW 23], p. 198 [Karl Marx, *O capital*, Livro I, cit., p. 261]. (N. E. A.)

[32] Um jogo de palavras: "steht" (está) e "ständisch" (dos, ou relativo aos, estratos sociais [*social estates*]). (N. E. I.)

Belo alemão! Trata-se aqui do "valor de uso" do "organismo social (*sozialen*)", ou de um valor de uso encontrado em posse de um "organismo social (*sozialen*)" {como a terra na comunalidade primitiva}, ou da forma "social" (*soziale*) determinada do valor de uso dentro de um *organismo social* (*sozialen*), como ali onde a produção de mercadorias é dominante, onde o valor de uso que um produtor fornece precisa ser "valor de uso para outro" e, nesse sentido, "valor de uso social (*gesellschaftlicher*)"? Nada se pode esperar de tais frivolidades.

Então, para outra proposição do Faustus[33] de Wagner:

> "O valor de troca é apenas a capa histórica e o apêndice do valor de uso social (*sozialen*) de um determinado período da história. Enquanto *se* coloca *um* valor de troca em face do valor de uso *como oposição lógica*, coloca-se um conceito histórico em oposição lógica a um conceito lógico, o que não é logicamente aceitável." (p. 48, nota 4) "Isso é", exulta ibidem [no mesmo lugar] Wagnerus, "isso é perfeitamente correto!".

Quem é o "se" que perpetra isso? Certamente que, com isso, Rodbertus visa a mim, pois ele escreveu, segundo R. Meyer, seu *famulus* [servo]*, um "grande e volumoso manuscrito" contra *O capital*[34]. Quem coloca "conceitos" em oposição lógica? O sr. Rodbertus, para o qual "valor de uso" e "valor de troca" são, ambos por natureza, meros "conceitos". De fato, em cada preço de mercado**, cada espécie singular de mercadoria comete esse processo ilógico de se distinguir de outras espécies como *bem*, *valor de uso*, como algodão, fio, ferro, grão etc., de apresentar o "bem" qualitativamente diferente dos outros *toto coelo* [em todo sentido], mas, ao mesmo tempo, apresentar o seu *preço* como algo qualitativamente

---

[33] Rodbertus. (N. E. A.)

* Segundo a edição alemã, o termo conota "assistente de um docente universitário". (N. T.)

[34] R. Meyer, *Briefe und socialpolitische Aufsaetze von Dr. Rodbertus-Jagetzow* [Cartas e ensaios sociopolíticos do dr. Rodbertus-Jagetzow] (Berlim, 1881), v. 1, p. 42. (N. E. I.) [Segundo a edição inglesa (MECW 24, p. 666, nota 604), essa referência ao livro organizado por Meyer é um indicativo da datação do manuscrito de Marx, dado que ele "foi publicado em Berlim após janeiro de 1881". Contudo, tal data pode ser contestada, pois é possível encontrar em artigos citações que referenciam a obra em 1880 e 1882. – N. T.]

** Do alemão austríaco, *Preiskurant*. Essa palavra parece ser uma forma alemã do termo francês *prix courant*, traduzido na MEW 26.3 (p. 163) por *Marktpreis*, ou "preço de mercado". Já na seção dedicada à explicação de palavras estrangeiras em MEW 19 (p. 669) são oferecidas as opções *Preiszettel*, ou "etiqueta", e *Preisliste*, ou "lista de preço". Dados, portanto, os termos "preço corrente" (tradução literal de *prix courant* e de *Preiskurant*), "etiqueta" e "lista de preço", é possível depreender, intuitivamente, o sentido de preço praticado no mercado. (N. T.)

igual, mas algo quantitativamente diferente e *da mesma essência*. Essa espécie singular de mercadoria se apresenta (*präsentiert*) na sua forma natural para aquele que a usa e na *forma-valor*, assim como *valor de troca*, uma forma que é completamente diferente dessa forma natural e "comunitária" para essa e todas as outras mercadorias. Trata-se aqui de uma oposição "*lógica*" apenas para Rodbertus e para os mestres-escolas professorais alemães afinados com ele, que partem do "conceito" de valor e não da "coisa social (*sozialen*)", da mercadoria, e se permitem rachar ao meio (duplicar) esse conceito em si mesmo e, assim, debatem entre si sobre qual das duas ideias malucas é o /17/ verdadeiro Jacó[35]!

Mas o que espreita no fundo sombrio das frases empavonadas é simplesmente a descoberta imortal de que o ser humano precisa, em todas as situações, comer, beber etc. {não se pode nem sequer prosseguir com vestir-se, ter garfo e faca ou camas e moradias, pois esse não

---

[35] Gênesis, 25: 26. (N. E. I.) [A nota da edição inglesa faz referência ao nascimento de Esaú e Jacó, filhos gêmeos de Rebeca e Isaac. Ocorre no relato bíblico que, durante o parto, Esaú foi o primeiro a nascer, enquanto Jacó surgiu logo em seguida, agarrado ao calcanhar do irmão. O próprio nome de Jacó, que em hebraico é Ya'aqov, possui dentro de si a raiz da palavra *'aqev*, que significa *calcanhar* ou *pegada*, e a do verbo *'aqav*, que pode significar *suplantar*, *segurar* ou *dar uma rasteira*; cf. Daisy Wajnberg, *O gosto da glosa: Esaú e Jacó na tradição judaica* (São Paulo, Associação Editorial Humanitas, 2004), p. 113-4. Isso é interpretado, em geral, como uma certa predestinação de Jacó em roubar a posição de primogenitura devida a Esaú e, portanto, a bênção que a acompanha. Mais adiante, em Gênesis, capítulo 27, Jacó engana seu pai, Isaac, que já está velho e cego. Ele se faz passar por Esaú, o primogênito, vestindo suas roupas e se cobrindo com peles de cabrito, para poder receber a bênção final de seu pai. Ao descobrir a farsa, Esaú diz: "Não é o seu nome justamente Jacó, tanto que já duas vezes me enganou?". Então ele jura de morte o irmão, que foge das terras do pai. Daí o termo "o verdadeiro Jacó" (*der wahre Jakob*) parece fazer referência ao núcleo de determinada questão por meio do qual se descobre o verdadeiro enganador, resolvendo, assim, a farsa. Vale, ainda, acrescentar que esse termo dava nome a um periódico social-democrata satírico, *Der wahre Jacob*, fundado em 1879, famoso e muito lido no círculo de integrantes e simpatizantes do SPD (Partido Social-Democrata Alemão), o qual foi publicado, com várias interrupções, até 1933. Outra explicação possível para a expressão *der wahre Jakob*: Jakobus [Tiago, em português], o irmão de João, era um dos doze apóstolos de Jesus. Foi decapitado pelo rei Herodes em 44 d.C. (Atos, 12: 2). Desde o século VII existe a lenda de que teria agido na Espanha. Tornou-se patrono do país, gozando de grande devoção, particularmente na Idade Média. A cidade de Santiago de Compostela, inclusive, teria se originado a partir do túmulo de Jakobus – onde estaria enterrado "o verdadeiro Jacó". Nesse sentido, a expressão também desfaz um engano; várias igrejas na Europa afirmaram possuir os restos mortais de Jakobus, desejando, com isso, atrair peregrinos e suas contribuições; ver: <https://www.redensarten-index.de/suche.php?suchbegriff=~~etwas%20ist%20nicht%20der%20wahre%20Jakob&bool=relevanz&suchspalte%5B%5D=rart_ou>, acesso em 6 dez. 2017. – N. T.]

é o caso *entre todas as situações*}; em suma, a descoberta de que ele precisa encontrar, em todas as situações, coisas externas prontas na natureza para a satisfação de suas carências e delas se apoderar, ou a de que ele precisa se preparar a partir daquilo que é encontrado na natureza; nesse proceder pragmático (*tatsächlichen*), ele sempre se relaciona, desse modo, factualmente (*faktisch*) com certas coisas externas como "valores de uso", isto é, sempre lida com elas como objetos para o seu uso; daí que o valor de uso seja, segundo Rodbertus, um conceito "lógico"; portanto, porque o ser humano também precisa respirar, a "respiração" é, assim, um conceito "lógico", mas de modo algum um conceito "fisiológico". Toda a superficialidade de Rodbertus se sobressai, entretanto, na sua oposição entre conceito "lógico" e "histórico"! Ele toma o "valor" (o econômico, em oposição com o valor de uso da mercadoria) apenas em sua forma de manifestação, no *valor de troca*, e porque esse valor de troca emerge apenas onde pelo menos alguma parte dos produtos do trabalho, os objetos de uso, funcionam como "*mercadorias*", o que, contudo, não ocorre desde o começo, mas só em um certo período social de desenvolvimento; portanto, em um determinado nível de desenvolvimento histórico, o *valor de troca* é, assim, um conceito "histórico". Agora, se R[odbertus] tivesse – eu direi a seguir o porquê de ele não ter visto isso – levado a análise do valor de troca das mercadorias mais adiante – pois o valor de troca existe tão somente onde *mercadoria* aparece (*vorkommt*) no plural, diferentes espécies de mercadorias –, então ele encontraria o "valor" por trás dessa forma de manifestação. Se ele tivesse levado mais adiante a investigação sobre o valor, teria descoberto mais adiante que, quanto a isso, a coisa, o "valor de uso", vige como mera *objetificação* do trabalho humano, como *dispêndio de força humana e igual de trabalho*, e, por isso, esse conteúdo é apresentado como caráter *objetivo* da *coisa* (*Sache*), como caráter que convém a *ela mesma* de modo reificado (*sachlich*), ainda que essa objetividade[36] *não* apareça na sua forma natural {o que, entretanto, faz necessária uma *forma-valor* particular}. Ele teria descoberto, então, que o "valor" da mercadoria expressa apenas em uma

[36] Isto é, objetividade do trabalho abstratamente humano. (N. K. I)

forma historicamente desenvolvida aquilo que existe igualmente em todas as outras formas históricas de sociedade, ainda que *em outra forma, a saber, o caráter social do trabalho,* uma vez que ele existe como *dispêndio de força "social" de trabalho.* Se "o valor" da mercadoria é, assim, apenas uma forma histórica determinada de algo que existe em todas as formas de sociedade, assim também é, contudo, o "valor de uso social", tal como ele caracteriza o "valor de uso" da mercadoria. O sr. Rodbertus investigou ou conceituou a medida da grandeza de valor de Ricardo, mas, quanto à substância do valor por si mesma, ele a investigou e conceituou tão pouco quanto Ricardo; por exemplo, o caráter "*comum*" do[37] processo de trabalho na comunalidade primitiva como organismo comum* das forças combinadas de trabalho e, por isso, como organismo comum do *trabalho delas,* isto é, do dispêndio dessas forças.

Ir adiante a respeito do falatório de Wagner é supérfluo nesta ocasião**.

Medida da grandeza de valor. O sr. Wagner me incorpora aqui, mas descobre, para seu pesar, que eu "*eliminei*" o "*trabalho de formação do capital*" (p. 58, nota 7).

> "Em um intercâmbio regulado por meio dos órgãos da sociedade, a determinação dos *valores de orçamento,* ou ainda, dos *preços de orçamento,* precisa efetuar-se sob a consideração adequada desse *momento dos custos,*" {assim ele nomeia o *quantum* de trabalho dispendido na produção etc.} "como em princípio também ocorreu nos antigos orçamentos governamentais e profissionais e como precisaria ocorrer novamente em um *sistema orçamentário* eventualmente *novo.*" {leia-se, socialista!} "No intercâmbio livre, porém, os *custos* não são o fundamento *exclusivo* da determinação dos valores de troca e dos preços, e não o podem ser em nenhuma *situação social concebível.* Pois, independentemente dos custos, as oscilações do valor de uso e da carência precisam sempre ter lugar, cuja *influência sobre o valor de troca e os preços* (tanto os preços de contrato como os de orçamento) modifica e precisa

37 Aqui teria que se acrescentar, por analogia, "processo de trabalho". (N. K. I) [De fato, "processo de trabalho" não consta do original. Na versão publicada em K. I foi feita essa nota, enquanto na MEW *Arbeitsprozesses* aparece entre colchetes. – N. T.]

* No texto utilizado de base para essa tradução se lê a palavra *Gemeinorganismus* [organismo comum]. Entretanto, na versão publicada em K. I se lê *Gesamtorganismus* [organismo total]. A confusão parece ter sido causada pelo fato de Marx ter escrito *gemeinschaftliche* pela metade e, por cima, *Gemeinorganismus.* (N. T.)

** A versão do manuscrito publicada em K. I termina aqui. (N. T.)

> modificar, assim, a *influência dos custos*" etc. (p. 58, 59). "A" {a saber, essa!} "correção perspicaz da doutrina socialista do valor [...] é devida a *Schäffle*" (!), o qual diz em *Socialer Körper*[38], III, p. 278: "Não se pode evitar, em nenhum modo de interferência social das carências e das produções, que *todas as carências* sempre permaneçam, qualitativa e quantitativamente, em equilíbrio com as produções. Mas se é assim, *os quocientes sociais do valor dos custos não podem viger, proporcional e concomitantemente, como quocientes sociais do valor de uso*". (p. 59, nota 9)

Que isso chega apenas, no máximo, à trivialidade do subir e cair dos *preços de mercado* acima ou abaixo do valor e ao pressuposto de que, no "Estado social de Marx", sua teoria do valor desenvolvida para a sociedade *burguesa* é decisiva – atesta a frase de Wagner:

> "Eles" (os preços) "irão variar temporariamente mais ou menos com relação a eles" {aos custos}; "irão subir junto com os bens cujo valor de uso se tornou maior, irão cair junto com aqueles cujo valor de uso se tornou menor. *Apenas a longo prazo* os custos poderão se fazer frequentemente vigentes como regulador decisivo" etc. (p. 59)

/18/ *Direito*. Basta uma frase a respeito da fantasia do *vir obscurus* sobre a influência economicamente criativa do *direito*, ainda que ele pisoteie repetidamente o ponto de vista absurdo aí contido:

> "A economia individual tem na sua dianteira, como órgão da atividade técnica e econômica dentro de si [...], uma *pessoa* como sujeito de direito e sujeito econômico. Ela não é, por sua vez, um fenômeno puramente econômico; ela é, antes, concomitantemente dependente da configuração do *direito*. Pois este determina quem vige como pessoa e, assim, quem pode ficar na dianteira de uma economia" etc. (p. 65)

Comunicação e *transporte* (p. 75-6), *p. 80* (nota).

Da *p. 82*: na qual o "*câmbio* (*Wechsel*) *nos componentes* (*naturais*) *da massa de bens*" {de uma economia que, *alias*, batizado por Wagner como "*câmbio de bens*", é declarado o "*câmbio social da matéria*" (*sozialen Stoffwechsel*) de Schäffle – pelo menos um caso dele; também empreguei, contudo, a palavra no processo "natural" de produção como câmbio da matéria entre ser humano e natureza} é *emprestado* de mim, em que o câmbio da matéria emerge primeiro na análise de M-D-M e das interrupções do

---

[38] A. E. Fr. Schäffle, *Bau und Leben des socialen Körpers* [Estrutura e vida do corpo social]. (N. E. I.)

câmbio da forma (*Formwechsels*), mais tarde também designadas como interrupções do câmbio da matéria*.

O que, além disso, Wagner diz sobre o "*câmbio interno*" dos bens situados em um ramo da produção (para ele, em uma "economia individual"), em parte com referência ao seu "valor de uso", em parte com referência ao seu "valor", é também discutido por mim na análise da primeira fase de *M-D-M*, a saber, *M-D*, exemplo do tecelão (*O capital*, p. 85, 86-7)[39], na qual consta de modo conclusivo: "Nossos possuidores de mercadorias descobrem, por isso, que a mesma divisão do trabalho que faz com que sejam produtores privados independentes torna o processo social de produção e a relação deles nesse processo algo independente deles mesmos, e que a independência das pessoas umas em relação às outras se completa em um sistema de dependência reificado (*sachlicher*) e omnilateral" (*O capital*, p. 87)[40].

Os contratos para a aquisição de bens no contexto do intercâmbio. Aqui o homem obscuro (*vir obscurus*) confunde alhos com bugalhos. Para ele há, primeiro, o direito e, então, o intercâmbio; na efetividade, isso se dá ao contrário: primeiro há o *intercâmbio* e então se desenvolve uma *ordenação do direito*. Eu expus (*dargestellt*) na análise da circulação de mercadorias que, na permuta (*Tauschhandel*) desenvolvida, aqueles que trocam se reconhecem tacitamente como pessoas iguais e como proprietários dos respectivos bens que são trocados por eles; já *fazem* isso enquanto oferecem seus bens uns aos outros e tornam o comércio entre uns e outros um consenso. Essa relação *factual*, que emerge só por meio e dentro da troca (*Austausch*) mesma, obtém, mais tarde, uma *forma jurídica* no contrato etc.; mas essa forma não cria nem o seu conteúdo, a troca, nem a *conexão* (*Beziehung*) *das pessoas entre si*

---

* Apesar de haver uma tradução já consagrada para *Stoffwechsel*, a saber, *metabolismo*, atemo-nos, aqui, a uma maior literalidade ao optar por *câmbio da matéria*, uma vez que assim é possível perceber os sentidos paralelos causados pelas combinações articuladas a partir da palavra *Wechsel*, ou *câmbio*, neste parágrafo. (N. T.)

39 O número da página se refere à segunda edição do Livro I de *O capital* (Hamburgo, 1872). (N. E. A.)

40 Ver tomo 23 da nossa edição [MEW 23], p. 120-2 [Karl Marx, *O capital*, Livro I, cit., p. 182]. (N. E. A.)

que está presente dentro dessa forma, mas vice-versa. Contra isso, lemos em Wagner:

> "*Essa aquisição*" {dos bens por meio do intercâmbio} "pressupõe necessariamente uma determinada *ordenação do direito*, sobre o fundamento *da qual*" (!) "o intercâmbio se cumpre" etc. (p. 84)

Crédito. Em lugar de mostrar o desenvolvimento do dinheiro como *meio de pagamento*, Wagner faz do processo de circulação – tão logo o processo se cumpre na forma em que os dois equivalentes não se confrontam ao mesmo tempo em M-D – prontamente uma "*operação de crédito*" (p. 85 e seguintes), ao que é "referida" a ideia de que essa operação está ligada com frequência ao pagamento de "juro"; também serve, para isso, considerar (*hinzustellen*) o ato de "dar confiança" e, com isso, a "confiança", como uma base do "crédito".

Sobre a concepção jurídica de "patrimônio" de *Puchta*[41], segundo a qual as *dívidas* também pertencem a ele enquanto *componentes negativos* (p. 86, nota 8).

Crédito é "*crédito consumptivo*" ou "crédito produtivo" (p. 86). O primeiro[42] é predominante sobre o nível de cultura (*Kulturstufe*) mais baixo, o último[43], sobre o "mais elevado".

Sobre as *causas do endividamento* {causas do pauperismo: oscilações de colheita, serviço de guerra, concorrência escravista} na Roma Antiga (Jhering, 3. ed., p. 234, II, 2. *Geist des römischen Rechts*)[44].

Segundo o sr. Wagner, no "nível mais baixo", o "crédito consumptivo" prevalece entre as classes "baixas e oprimidas" e as "elevadas e extravagantes". *In fact* [na verdade]: na Inglaterra, na América, o "*crédito consumptivo*" *é em geral predominante com a formação do sistema de depósito bancário!*

> "Em especial, comprova-se [...] o *crédito produtivo* como fator econômico da economia nacional (*Volkswirtschaft*) baseada na *propriedade privada de parcelas de terra e de capitais móveis* e que admite a *livre concorrência*. Ele se ata à *posse* do patrimônio, não ao

[41] F. G. Puchta, *Pandekten* (Leipzig, 1877), § 34 e 219. (N. E. I.)

[42] No manuscrito: último. (N. E. A.)

[43] No manuscrito: primeiro. (N. E. A.)

[44] Rudolph von Jhering, *Geist des römischen Rechts auf den verschiedenen Stufen seiner Entwicklung* [O espírito do direito romano sobre os diferentes níveis de seu desenvolvimento] (Leipzig, 1874), p. 234-59. (N. E. I.)

patrimônio como categoria puramente econômica"; é, portanto, apenas "*categoria* histórico-*jurídica*" (!) (p. 87)

/19/ *Dependência da economia individual* (*Einzelwirtschaft*) *e do patrimônio com relação às ingerências do mundo externo, particularmente com relação à* influência da conjuntura na economia nacional.

1. *Alterações no valor de uso*: melhorias, em alguns casos, mediante o *curso do tempo*, como condição de certos processos naturais (*vinho, charutos, violinos* etc.).

"*Pioram* na grande *maioria* [...], dissolvem-se nos seus componentes materiais *acasos* de toda espécie." Corresponde à "*alteração*" do valor de troca na mesma direção, "*elevação do valor*" ou "*diminuição do valor*" (p. 96, 97). *Veja sobre o contrato de aluguel de casas* em Berlim. (p. 97, nota 2)

2. *Noção humana alterada sobre as propriedades dos bens*; por meio do que, em *caso positivo*, "*aumenta*-se *o patrimônio*". {*Aplicação de carvões minerais no derretimento do ferro* na Inglaterra por volta de 1620 enquanto a retração dos bosques já ameaçava a manutenção dos artefatos em ferro forjado; descobertas químicas, como a do iodo (utilização das fontes de sal que contêm iodo). Fosforita como fertilizante. O antracito como material de aquecimento. Materiais para iluminação a gás, para fotografias (*Lichtbildern*). Descoberta de materiais corantes e medicinais. Guta-percha, látex. Marfim vegetal (da *Phytelephas macrocarpa*)[45]. Creosoto. Velas de parafina. Utilização do *asfalto*, das *agulhas de pinheiro* (lã de bosque), dos gases nos altos fornos, alcatrão de carvão vegetal para a preparação da anilina, farrapos de lã, aparas de serraria etc. etc.} Em *caso negativo, diminuição* da *usabilidade e, portanto, do valor* (como após a descoberta das *Trichinella* na carne de porco, materiais venenosos nos corantes, plantas e daí por diante) (p. 97, 98). Descobertas de *produtos da mineração* no solo, de propriedades novas e úteis em seus produtos, descoberta de nova aplicabilidade desses produtos aumenta o *patrimônio do possuidor de terra* (p. 98).

---

[45] *Marfim vegetal* (*Phytelephas*), espécie de um gênero anômalo de palmas da América do Sul tropical. As sementes ou as nozes, como elas são usualmente chamadas quando estão completamente maduras e rígidas, são usadas pelos índios americanos para fazer pequenos artigos ornamentais e brinquedos. Elas são importadas pela Grã-Bretanha em quantidades consideráveis, frequentemente sob o nome de *corozo nuts*. (N. E. I.)

3. *Conjuntura.*

Influência de *todas* as "condições" externas, as quais "codeterminam essencialmente a *feitura dos bens para o intercâmbio,* seu *desejo e venda*" [...] portanto, seu "*valor de troca*", e também o valor de troca "do bem unitário já terminado [...] completa ou preponderantemente *independente*" do "sujeito da economia", "ou seja, o proprietário" (p. 98). *Conjuntura se torna "fator decisivo" no "sistema da livre concorrência"* (p. 99). Aquele – "mediante o *princípio da propriedade privada*" – ganha "o que ele não *mereceu*", e assim o outro sofre "*dano*", "*perdas economicamente inimputáveis*".

Sobre *especulação* (nota 10, p. 101). *Preços de moradia* (p. 102, nota 11). *Indústria do carvão e do ferro* (p. 102, nota 12). *Inúmeras alterações da técnica* põem abaixo os valores dos produtos industriais, assim como os dos instrumentos de produção (p. 102, 103).

Em uma "economia nacional que progride em termos de população e bem-estar *preponderam* [...] as *chances favoráveis* da *propriedade da terra,* particularmente *da urbana* (metropolitana), embora com reveses e oscilações ocasionais, temporários e locais" (p. 102).
"Assim, a conjuntura passa os ganhos particularmente para o proprietário *da terra*" (p. 103). "Esses, assim como a maioria dos outros *ganhos sobre o valor a partir da conjuntura,* [...] são apenas *puros ganhos de jogo*", aos quais correspondem "*perdas de jogo*" (p. 103).

O mesmo sobre "comércio de grãos" (p. 103, nota 15).

Assim, precisa "ser abertamente reconhecido: [...] a situação econômica do indivíduo ou da família" é "*essencialmente* também um *produto da conjuntura*" e isso "atenua necessariamente a importância da *responsabilidade econômica e pessoal*". (p. 104, 105)

Se "se considera", então, "a *organização hodierna* da economia nacional e a *base do direito*" (!), "portanto, a propriedade privada do [...] solo e do capital" etc., "como a *instituição inalterável* em princípio (*in der Hauptsache*)", então, após uma boa dose de tagarelice, não há meios "para o combate [...] *das causas*" {dos inconvenientes que daí emergem, sejam eles a estagnação da venda, crises, demissão de trabalhadores, redução de salário e por aí vai}, "*não*, portanto, para o combate desse mal mesmo", enquanto o sr. Wagner pensa combater os "sintomas", as "consequências do mal", ao atingir os "*ganhos de conjuntura*" por meio dos "*impostos*", ao atingir as "*perdas*", "economicamente inimputáveis", o produto da conjuntura, por meio do "*sistema de seguro* [...] *racional*" (p. 105).

Esse é o resultado, diz o homem obscuro, quando se toma por "inalterável" o modo hodierno de produção com sua "base do direito"; seu pesquisar, que vai mais fundo que o socialismo, irá, contudo, atacar a "coisa (*Sache*) mesma". *Nous verrons* [veremos], não é mesmo*?

/20/ *Principais momentos singulares que formam a conjuntura.*

1. *Oscilações nos rendimentos da colheita dos principais meios de nutrição* sob a *influência do clima* e das relações políticas, como perturbações no cultivo causados pela guerra. Produtores e consumidores são, por meio disso, influenciados (p. 106). {Sobre o *comerciante de cereais*: *Tooke, History of Prices*[46]; para *Grécia*: *Böckh, Staatshaushalt der Athener* [Orçamento nacional dos atenienses], *I.1.§ 15*; para *Roma*: *Jhering*, "Geist", p. 238[47]. Hoje em dia, *mortalidade aumentada das camadas baixas da população* com cada *pequena* elevação do preço, "*certamente uma evidência* de quão pouco o salário médio no âmbito da massa da classe trabalhadora *excede a quantia absolutamente necessária* para viver" (p. 106, nota 19).} *Melhorias dos meios de comunicação* {"ao mesmo tempo", consta ainda, na nota 20, "o pressuposto mais importante de um comércio de grãos especulativo e nivelador dos preços"}, *métodos alterados de cultivo* {"*economia de rotação de culturas*" (*Fruchtwechselwirtschaft*), por meio "da plantação de *diferentes* produtos, os quais são diferentemente favorecidos ou prejudicados pelos diferentes climas"}; portanto, *oscilações menores nos preços dos cereais dentro de curtos espaços de tempo* em comparação "com a Idade Média e a

---

* Nas edições do texto presentes em MEW 19 (p. 380) e MECW 24 (p. 556) aparecem, respectivamente "*nous verrons, wie?*" e "*nous verrons, won't we?*". Como se pode ler em ambas as edições e de acordo com a solução aqui adotada, *wie* significa, após uma vírgula e acompanhado de um ponto de interrogação, algo como "não é mesmo?". Entretanto, essa vírgula parece inexistir no manuscrito original, dando o sentido de "veremos como?". Assim, aqui estaria expressa a dúvida de Marx sobre *como* Wagner iria, de fato, "atacar a 'coisa mesma'", dada a "inalterabilidade" do "mal mesmo". (N. T.)

[46] Th. Tooke e W. Newmarch, *A History of Prices, and of the State of the Circulation, During the Nine Years 1848-1856*, part I: "On the Prices of Corn from 1847 to 1856" [Uma história dos preços e o estado da circulação durante nove anos, 1848-1856, parte 1: Sobre os preços do milho de 1847 a 1856] (Londres, 1857), v. 5. (N. E. I.)

[47] Rudolph von Jhering, *Geist des römischen Rechts auf den verschiedenen Stufen seiner Entwicklung* [O espírito do direito romano sobre os diferentes níveis de seu desenvolvimento]. (N. E. I.)

Antiguidade". Mas mesmo as oscilações de agora são ainda muito grandes. (Ver nota 22, p. 107*; *facts* [fatos] ali mesmo.)

2. *Alterações na técnica. Novos métodos de produção.* Aço Bessemer** em vez de ferro etc., p. 107 (e, além disso, nota 23). *Introduções de máquinas no lugar do trabalho manual.*

3. Alterações nos meios de comunicação e de transporte, os quais influenciam o movimento *espacial* de seres humanos e bens: por meio disso, especialmente... é afetado o *valor da terra* (*Grund und Boden*) e dos artigos de *valor baixo e específico*; ramos completos da produção compelidos a uma difícil passagem para outros métodos de operação (p. 107). {Além disso, nota 24, idem. *Crescimento do valor do solo nas proximidades de boas comunicações*, por conta de melhor venda dos produtos aqui obtidos; *facilitação do ajuntamento da população* em cidades, portanto, um *crescer enorme* do *valor do solo urbano* e do *valor* nas proximidades de tais locais. *Carregamento* (*Abfuhr*) *facilitado* de *regiões com preços até então baixos de cereal* e de outras matérias-primas agrícolas e florestais, produtos de mineração, para regiões com preços mais altos; por meio disso, agravada situação econômica de todos os elementos da população com renda (*Einkommen*) mais estável nas primeiras[48] regiões; ao contrário, favorecimento dos produtores e, especialmente, dos possuidores de terra do mesmo lugar. A *entrega* (*Anfuhr*) (*importação!*) facilitada do cereal e de outros materiais de valor baixo e específico age de modo inverso. Favorece consumidores, prejudica produtores no país de referência;

---

* Lê-se na nota referida: "Um fato fixo da história e da estatística do preço dos cereais. Pelo menos também no tempo presente e mesmo nos países mais ricos e em sistemas de comunicação e comércio de cereais altamente desenvolvidos, as oscilações ocorridas dentro de um ano são de 1:2. Assim, até mesmo o *preço médio semanal* por *quarter* de *trigo* nos mercados ingleses era, em *setembro* de *1846*, de 49 xelins; em meados de *maio* de *1847*, 102 xelins e 2 penny; e no início de *setembro* de *1847*, novamente 49 xelins e 6 penny. Que alterações para a condição da massa dos consumidores, dos produtores, dos comerciantes! *Tooke*, *Hist. of pric.* [História dos preços], VL [*sic*], 462. Veja ainda *Neumann* (Tübingen) em *Hildebr. Jahrb.* [Anais para a economia nacional e estatística], XVIII, 291, 318. Sobre a função do comércio internacional de cereais no tempo presente, *Neumann* (Viena). Resenhas, p. 9 ss."; Adolph Wagner, *Allgemeine oder theoretische Volkswirtschaftslehre*, cit., p. 106-7. (N. T.)

** Aço produzido em massa e a baixo custo a partir de um processo inovador de fabricação patenteado pelo engenheiro Henry Bessemer (1813-1898). (N. T.)

48 No manuscrito: "últimas". (N. E. I.)

coerção no sentido de passar para outras produções, como na Inglaterra, onde se passou do cultivo de grãos para a criação de gado nos anos 1840 devido à concorrência do cereal leste-europeu barato na Alemanha. Situação difícil para os *fazendeiros alemães* (agora) por conta *do clima* e, assim, por conta das *recentes e fortes elevações do salário*, que eles não podem acrescentar sobre os produtos de modo tão fácil quanto os industriais etc.}

4. *Alterações do gosto! Modas* etc. frequentemente acabam se exaurindo de modo rápido dentro de um curto tempo.

5. *Alterações políticas* no âmbito do intercâmbio nacional e internacional (guerra, revolução etc.); tão logo *confiança e desconfiança* se tornem *cada vez mais importantes* por meio da crescente divisão do trabalho, do aperfeiçoamento do intercâmbio internacional etc., do coagir do fator de crédito, das enormes dimensões da condução moderna da guerra etc. (p. 108).

6. *Alterações na política agrária, industrial e comercial.* (Exemplo: reforma da legislação britânica dos grãos.)

7. Alterações na *distribuição espacial* e na *situação econômica geral de toda a população*, como emigração da planície para as cidades (p. 108, 109).

8. *Alterações na situação social e econômica de camadas avulsas da população*, como por meio da concessão de liberdade de coalizão etc. (p. 109). {Os cinco bilhões franceses[49], nota 29, *ibidem*.}

Custos na economia individual. No que diz respeito ao "trabalho" que produz "valor", no qual todos os custos se resolvem, é preciso também tomar, em especial, o "trabalho" no sentido correto e *amplo*, no qual ele "envolve *tudo* o que é necessário às atividades humanas conscientes de um fim (*zweckbewußten*) para o ganho dos rendimentos", portanto também, em especial, "o *trabalho intelectual* (*geistige*) do diretor e a atividade pela qual o capital é formado e empregado", "por isso" o "*ganho de capital*" que paga essa atividade também pertence /21/ aos

[49] Após a Guerra Franco-Alemã de 1870-1871, em função do Acordo de Paz de Frankfurt de 10 de maio de 1871, a França precisou pagar à Alemanha uma contribuição de 5 bilhões de francos. (N. E. A.)

"elementos constitutivos dos custos". "Essa concepção está em contradição com a teoria socialista do valor e dos custos e com a crítica do capital" (p. 111).

O homem obscuro imputa a mim a afirmação de que "o *mais-valor* produzido *somente* pelos trabalhadores permanecera nas mãos dos empresários capitalistas de modo *impróprio*" (nota 3, p. 114). Agora eu digo o direto oposto, a saber, que a produção de mercadorias se torna necessariamente produção "capitalista" de mercadorias em um certo ponto e que, segundo a *lei do valor* que sobre ela predomina, o "mais-valor" cabe ao capitalista, e não ao trabalhador. Em lugar de embarcar em semelhante sofisma, o caráter catedrático-socialista *viri obscuri** é posto à prova, por outro lado, por meio da seguinte banalidade, a de que os

> "oponentes incondicionais dos socialistas" "ignoram os casos certamente numerosos de *relações de exploração,* nas quais os rendimentos líquidos** *não* são corretamente (!) distribuídos, e os *custos individuais-econômicos de produção* das empresas são reduzidos em detrimento notável dos trabalhadores (e, também, ocasionalmente dos capitalistas que atuam com empréstimo) e em favor dos empregadores" (loc. cit.).

Renda nacional na Inglaterra e na França (p. 120, χ-φ).
O resultado anual bruto de um povo:

---

* Declinação genitiva de *vir obscurus,* pelo que se lê "o caráter catedrático-socialista do homem obscuro". (N. T.)

** Trata-se aqui do termo alemão *Reinerträge,* cuja tradução literal é "rendimentos puros" e cujo sentido de "rendimentos líquidos" pode ser apreendido tanto pelo contexto da citação quanto pelo fato de a autoria dessas linhas ser a de um economista. Contudo, fossem essas as palavras de Marx, e a depender do que estivesse sendo apresentado e de qual o momento dessa apresentação, a identidade semântica entre "puro" e "líquido" estaria, provavelmente, equivocada. Tal é o caso da tradução de "*reine Zirkulationskosten*" por "custos líquidos de circulação" (*O capital,* Livro II, cit., capítulo 6, subcapítulo I, p. 209). A julgar pelo título, seria possível pensar se tratar de um discurso sobre aqueles custos da circulação de mercadorias, dos quais foram deduzidos custos considerados "brutos". Mas esse não é o caso aqui. Antes, trata-se do "tempo de negócio" (p. 209), do tempo e força de trabalho necessários "não para criar valor, e sim para transferir o valor de uma forma a outra" (p. 210), "um custo de circulação que não acrescenta nada aos valores transferidos. [...] custo necessário para transferi-los da forma-mercadoria à forma-dinheiro" (p. 213). O "puro" (*reine*) tem o sentido de *forma.* São custos da alteração *formal do valor,* sem consideração da sua alteração quantitativa. Atesta esse sentido, ainda, o título dado inicialmente por Engels a esse subcapítulo no seu manuscrito de redação do Livro II de *O capital,* "Custos de circulação que surgem da mudança de forma enquanto tal" (MEGA^2 II/12, p. 102), e que, por fim, apareceu na versão impressa como "Custos puros de circulação". (N. T.)

1. Totalidade dos bens *novamente* criados no ano. As *matérias-primas nacionais* são completamente incluídas segundo seu valor; os *objetos feitos a partir de tais materiais e dos materiais estrangeiros* {para evitar a dupla contagem dos produtos brutos} estão no *montante do aumento de valor obtido mediante o trabalho organizado* (*Gewerksarbeit*); as *matérias-primas e produtos semifabricados transportados* e vendidos na *troca comercial*, no montante do aumento de valor efetuado por meio disso.

2. *Importação de dinheiro e mercadorias do exterior* a partir do título de rendas dos *direitos de obrigação* do âmbito nacional advindo dos *negócios de crédito* ou a partir do título de rendas dos *investimentos de capital* dos cidadãos nacionais no exterior.

3. *Fretamento* (*Frachterwerb*) *da companhia nacional de navegação* realmente pago mediante importação de bens estrangeiros no âmbito do *comércio externo e do tráfego.*

4. *Dinheiro em espécie ou mercadorias importadas* do exterior *como remessas para os estrangeiros residentes no país.*

5. *Importação de doações gratuitas*, como nos *tributos permanentes* pagos pelo estrangeiro para o país, *imigração contínua e, assim, patrimônio regular da imigração.*

6. *Excedente de valor da importação de dinheiro e de mercadorias que se dá na troca comercial internacional*[50], {mas se deve subtrair, assim, 1. a *exportação* para o exterior}.

7. *Montante de valor das utilizações do patrimônio útil** (como das casas residenciais etc.) (p. 121, 122).

---

[50] Marx escreveu, erroneamente, "doméstico" em vez de "internacional". (N. E. I.)

* Para Wagner, esse "montante de valor das utilizações do patrimônio útil" deve ser incluído no "rendimento bruto da economia nacional (*Volkswirtschaft*) em um período (um ano)" em conformidade com o "*segundo* componente da renda", a saber, "os *desfrutes* (*utilizações*) ou mesmo apenas as *possibilidades de desfrute* permitidos periódica e continuamente pelo *patrimônio útil* (§27) de uma pessoa após o desconto da deterioração decorrente do uso e da redução do valor de intercâmbio". Por essa definição é possível notar a naturalização da forma-mercadoria tanto na contabilização da vida em geral quanto na confusão entre a simples utilidade de alguma coisa e a sua utilidade do ponto de vista da determinação do capital constante. O primeiro componente da renda é, por sua vez, "aquela soma de bens econômicos que fazem a mesma crescer novamente como patrimônio em certos períodos (normalmente calculados em anos) e de modo regular, portanto, bens com a capacidade de *reiteração* regular como *rendimentos líquidos de uma fonte sólida de ganho*"; Adolph Wagner, *Allgemeine oder theoretische Volkswirtschaftslehre*, cit., p. 114-5 e p. 121-2. (N. T.)

Para o *rendimento líquido*, subtrair, entre outros, a "exportação de bens como pagamento pelo *ganho do frete da companhia estrangeira de navegação*" (p. 123). {A questão (*Sache*) não é tão simples: *preço de produção* (*interno*) + *frete* = *preço de venda*. Se o país exporta suas próprias mercadorias com seus próprios navios, então o país estrangeiro paga os custos do frete, caso o preço de mercado ali dominante etc.}

> "Os pagamentos regulares aos *súditos estrangeiros* no *exterior* (ordenados de suborno, como da parte dos persas aos gregos, *remunerações de eruditos estrangeiros* sob Luís XIV, moedas de São Pedro)[51] devem ser levados em conta[*] junto dos tributos permanentes." (p. 123, nota 9)

Por que não os *subsídios* que os príncipes alemães recebiam regularmente da França e da Inglaterra?

Veja as variedades ingênuas das *partes da renda dos sujeitos privados* que se compõem a partir dos "serviços do Estado e das igrejas" (p. 125, nota 14).

Avaliação individual e nacional-econômica do valor.

Cournot, Recherches sur les principes mathématiques de la théorie des richesses [Investigações sobre os princípios matemáticos da teoria das riquezas], 1838, chama a *destruição de parte de um estoque de mercadorias* para vender o resto mais caro de "une véritable création de richesse dans le sens commercial du mot [uma verdadeira criação de riqueza no sentido comercial da palavra]" (p. 127, nota 3).

Compare com o declínio dos *estoques* de consumo dos sujeitos privados ou, *como Wagner chama*, o "*capital útil*" *deles*, em nosso período cultural, especialmente em *Berlim*, p. 128, nota 5, p. 129, notas 8 e 10; além disso, pouquíssimo dinheiro ou *capital* próprio *em operação no negócio de produção* mesmo, p. 130 e ibidem, nota 11.

---

[51] *Peterspfennige* – uma contribuição anual que o papa requisitava de todos os católicos (originalmente, por uma moeda de prata de cada família no feriado de São Pedro); até hoje, uma importante fonte de receita da cúria papal, a partir da qual é financiada a propaganda católica reacionária. (N. E. A.)

[*] Em vez de "devem ser levados em conta", lemos em Wagner "devem ser nomeados". (N. T.)

Importância relativamente maior do comércio externo hoje em dia, p. 131, nota 13, p. 132, nota 3.

Escrito da segunda metade de 1879
até novembro de 1880.
Do manuscrito[*].

[*] Na edição inglesa lê-se: "Manuscrito completado após janeiro de 1881. Publicado pela primeira vez em russo nos Marx-Engels Archives, Livro V, Moscou, Leningrado, 1930. Impresso de acordo com o manuscrito." (N. T.)

Seção II

NOTAS SOBRE A REFORMA DE 1861 E O QUE DAÍ SE DESDOBROU NA RÚSSIA

NOTA INTRODUTÓRIA

Hyury Pinheiro

As "Notas sobre a reforma de 1861 e o que daí se desdobrou na Rússia" é um dos últimos escritos de Marx que podem ser vistos como um esboço para uma reflexão sobre o capitalismo a ele contemporâneo. Escrito entre o fim de 1881 e 1882, as "Notas..." constituem uma tentativa de síntese e expressão de uma totalidade que subjazia, então, a "mais de dois metros cúbicos de documentos contendo nada além de estatísticas russas" encontrados entre os papéis de Marx após a sua morte[1], bem como a correspondências com militantes russos e produções bibliográficas russas que buscavam compreender o país de modo mais ou menos crítico.

Tal tentativa se aproxima, de certo modo, daqueles textos sintéticos que Marx escrevia após um longo corpo a corpo com dados qualitativos e quantitativos referentes à dinâmica capitalista em operação (notadamente questões que visavam elucidar os processos de crises econômicas) e com reflexões teóricas produzidas a partir dos processos econômicos constituintes daquela dinâmica. Podemos citar como exemplos desses escritos o fragmento "Reflection" (1851)[2] e "O método da economia política" (1857)[3]. Se, por um lado, esses três escritos são comuns entre si do ponto de vista da sua função dentro do processo de pesquisa do autor, a saber, a de sistematizar os resultados alcançados naquela lida com o material e, nisso, construir um conhecimento crítico daquilo que fora apreendido, por outro, eles se diferenciam

---

[1] David McLellan, *Karl Marx: vida e pensamento* (trad. Jaime A. Clasen, Petrópolis, Vozes, 1990), p. 448.

[2] Karl Marx e Friedrich Engels, *Exzerpte und Notizen – März bis Juni 1851* (MEGA IV/8, Berlim, Dietz, 1986), p. 227-34.

[3] Karl Marx, *Grundrisse* (trad. Mario Duayer e Nélio Schneider, São Paulo/Rio de Janeiro, Boitempo/Ed. UFRJ, 2011), p. 54-62.

quanto à natureza de seu conteúdo; enquanto nas reflexões de 1851 e 1857 são sintetizados categorias de análise e elementos teóricos altamente abstratos, nas "Notas..." são ensaiadas conexões entre dados qualitativos e quantitativos, cujo resultado parece visar não à crítica da economia política, mas à narração diagnóstica de um processo histórico, econômico e social. Temos, assim, nesses apontamentos esparsos e um tanto ordenados, um testemunho de *work in progress* da pesquisa marxiana na sua lida com temas pontuais e sensíveis, preocupada, no mais, em estabelecer uma compreensão de dado processo histórico.

Se é evidente o caráter testemunhal do texto, não o é, pelo menos de imediato, o seu conteúdo – ainda que a matéria esteja, ali, apresentada de modo direto e sem grandes mediações teóricas. Afinal, a dúvida que se coloca é: o que leva Marx a retomar em 1881-1882 um processo histórico ocorrido na Rússia entre fins de 1850 e início dos anos 1860 que gravita em torno da abolição formal do regime servil em 1861, e o leva a conectá-lo à maior agência econômica do Estado russo, ao desenvolvimento das ferrovias em seu território, à intensificação das suas exportações de cereais e ao nascimento do seu sistema privado de crédito na segunda metade dos anos 1870? Antes de aventar uma resposta a essa questão, é preciso pontuar, no entanto, que o interesse pela questão russa expresso no presente texto não nasce em Marx nos seus últimos anos de vida. Antes, ele é cultivado pelo autor a partir de um prisma revolucionário – ainda que cético – desde pelo menos fins dos anos 1850[4] e ao longo de toda a década de 1860 e 1870, tendo ele, inclusive, estudado russo para acompanhar os acontecimentos por meio de fontes primárias[5] e entrado em um certo conflito com Engels, que desejava que ele se concentrasse na conclusão de *O capital* em vez de se deter nessas

---

[4] Quanto ao "prisma revolucionário", ver a carta de Marx a Engels de 29 de abril de 1858 mencionada mais adiante. De modo contrário, "até 1875 Marx estava extremamente cético a respeito das possibilidades de revolução na Rússia: seu otimismo imediatamente após a emancipação dos servos em 1861 durara pouco. Apesar do sucesso de *O capital* na Rússia e de sua admiração por pensadores individuais como Chernyshevsky (sic), ele continua a considerar o país como o sustentáculo da reação europeia mais sujeito a pressão externa do que subversão interna"; David McLellan, *Karl Marx*, cit., p. 465.

[5] Marx escreve a Sigfrid Meyer em 21 de janeiro de 1871: "Não sei se compartilhei contigo o fato de que, desde o início de 1870, precisei estudar russo por conta própria, língua que agora leio de modo consideravelmente fluente. Isso decorreu do fato de que me foi enviada de Petersburgo uma obra muito importante de Flerovski sobre a 'Situação da classe trabalhadora (particularmente, camponeses) na Rússia' e de que eu também quis me familiarizar com as (famosas) obras econômicas de Tchernychévski (há 7 anos condenado às minas siberianas). A recompensa vale os esforços [...]"; Karl Marx e Friedrich Engels, *Werke* (Band 33, Berlim, Dietz, 1976), p. 173. Daqui em diante citado como MEW, acompanhado do número do tomo e do ano de publicação, respectivamente.

questões[6]. E, como nos lembra Mary Gabriel[7], esse interesse é tampouco isolado, posto que se combina, em alguma medida, com a crescente atenção que Marx dispensa aos desenvolvimentos do capital em terras norte-americanas após a abolição formal da escravidão em 1865. Soma-se a isso, ainda, "seu crescente interesse pelas formas arcaicas de organização comunitária" evidenciado pelo estudo de antropólogos contemporâneos na primeira metade de 1881[8].

Não se deve perder de vista, no entanto, o viés revolucionário desse interesse, o que pode consistir em uma resposta, mesmo que parcial, à questão anteriormente posta: é por visar a um processo revolucionário possível e necessário na Rússia que Marx se debruça sobre os dados disponíveis desse país e suas diversas interpretações. Além disso, dado o cenário de efervescência política da época[9] e a popularidade da edição russa do Livro I de *O capital*[10], surgiram ali correntes políticas que buscavam dialogar com Marx. Um dos temas em voga era o destino da forma comunal de propriedade da terra na Rússia. No limite, essa polêmica tocava, *grosso modo*, nos caminhos possíveis ou necessários em direção a um socialismo construído ou implantado no contexto russo. Dos vários interlocutores que viabilizaram e provocaram a aproximação de Marx em relação a esse problema estão Vera Zasulitch (1849-1919), "militante da organização populista Repartição Negra" e Nikolai Mikhailovski (1842-1904), "crítico literário e sociólogo"[11]. Este último atribuiu a Marx a tese de que "a Rússia

[6] Marcello Musto, *O velho Marx: uma biografia de seus últimos anos (1881-1883)* (trad. Rubens Enderle, São Paulo, Boitempo, 2018), p. 60, nota 3.

[7] Mary Gabriel, *Amor e capital: a saga familiar de Karl Marx e a história de uma revolução* (trad. Alexandre Barbosa de Souza, Rio de Janeiro, Zahar), p. 417-8.

[8] Marcello Musto, *O velho Marx*, cit., p. 30-41. Ver também Lawrence Krader (org.), *The Ethnological Notebooks of Karl Marx* (Assen, Van Gorkum, 1972).

[9] Em 1881, o tsar Alexandre II foi assassinado pelo grupo populista Narodnaia Volya; ao qual pertencia Vera Zasulitch; David McLellan, *Karl Marx*, cit., p. 467.

[10] Marcello Musto, *O velho Marx*, cit., p. 61. Em 18 de setembro de 1868, a pedido de Poliakov, Danielson fez um primeiro contato com Marx visando à publicação de *O capital* em russo. No fim de 1869, Bakunin assume a tradução, da qual desiste após longa procrastinação. No início de 1870, German Leopatin traduziu os capítulos 2 a 5 da primeira edição de *O capital* (1867) (2. "A metamorfose do dinheiro em capital"; 3. "A produção do mais-valor absoluto"; 4. "A produção do mais-valor relativo"; 5. "Outras investigações sobre a produção do mais-valor absoluto e relativo"). Essa edição possuía seis capítulos ao todo. No fim desse ano, Leopatin seguiu para a Rússia para organizar a fuga de Tchernychévski da Sibéria, deixando a tradução para trás. Danielson é quem finaliza a tradução em outubro de 1871, a qual é finalmente publicada em 27 de março (8 de abril) de 1872 em Petersburgo. Essa foi a primeira edição de *O capital* publicada fora da Alemanha (MEW 32, 1974, p. 796, nota 559).

[11] Marcello Musto, *O velho Marx*, cit., p. 60 e 68. Para conferir a correspondência entre Marx e Zasulitch, bem como acompanhar os esboços da resposta de Marx, ver Karl Marx e Friedrich Engels, *Luta de classes na Rússia* (trad. Nélio Schneider, São Paulo, Boitempo, 2013).

deveria destruir a *obschina*[12] [...] para passar ao regime capitalista"[13] e, assim, tornar o socialismo possível.

Musto relaciona uma determinada produção de Marx que, de fato, sustenta a leitura de que, segundo ele, a Rússia aparecia para a Europa, dadas suas condições econômicas e sociais, como "o posto avançado da contrarrevolução" (por exemplo, os artigos para o *New-York Tribune* escritos entre 1851 e 1862 e a *História diplomática secreta do século XVIII*, de 1856-1857)[14] e de que o modo capitalista de produção figurava como pressuposto de uma sociedade comunista (como no *Manifesto comunista* de 1848, no *Discurso no aniversário de The People's Paper* de 1856, *nos Grundrisse* de 1857-1858, e mesmo em *O capital* de 1867)[15]. Ocorre que, no entanto, o próprio Marx acaba por se opor a essa tese, seja em sua hoje famosa carta a Vera Zasulitch, seja na sua carta à redação de *Otechestvenye Zapiski*, na qual afirma o seguinte, após citar o caso do proletariado romano, que, a despeito de sua total expropriação, não se tornou trabalhador assalariado:

> Acontecimentos de uma analogia impressionante que se passaram, entretanto, dentro de um meio histórico distinto levaram, assim, a resultados completamente variados. Se se estuda cada um desses desenvolvimentos por si e se, assim, os compara uns com os outros, então facilmente será encontrada a chave para essa manifestação, mas *jamais se chegará até ali com a chave universal de uma teoria histórico-filosófica geral*, cuja maior vantagem consiste em ser supra histórica. (Destaque nosso)[16]

Tal "contraleitura" evidencia, sobretudo, uma concepção antietapista e antiuniversal da mudança social, a qual encontra raízes desde, pelos menos, fins

---

[12] Isto é, a comunidade rural russa da qual o *mir* é apenas uma forma derivada; Andreas Arndt, *Karl Marx: Versuch über den Zusammenhang seiner Theorie* (2. Auflage, Berlim, Akademie, 2012), p. 94 [Karl Marx: ensaio sobre o contexto de sua teoria]. O sentido de *mir*, por sua vez, pode ser apreendido a partir da ponderação de Engels sobre a vida do camponês russo, para quem "todo o restante do mundo só existe [...] na medida em que se intromete nessa sua comunidade. Tanto é assim que, na língua russa, a mesma palavra *'mir'* significa, por um lado, o 'mundo' e, por outro, a 'comuna camponesa'. Para o camponês, *'ves' mir'*, 'o mundo todo', significa a assembleia dos membros da comuna"; Friedrich Engels, "Literatura de refugiados V", em Karl Marx e Friedrich Engels, *Luta de classes na Rússia*, cit., p. 31.

[13] Marcello Musto, *O velho Marx*, cit., p. 69. Para maior contato com as ideias de Mikhailovski, Musto indica na nota 40 os seguintes trabalhos: Giorgio Migliardi (org.), *Il populismo russo* (Milão, Franco Angeli, 1985); Andrzej Walicki, *Marxisti e populisti: il dibattito sul capitalismo* (Milão, Jaca, 1973); e Franco Venturi, *Il populismo russo* (Turim, Einaudi, 1972).

[14] Marcello Musto, *O velho Marx*, cit., p. 59.

[15] Ibidem, p. 62-8.

[16] MEW 19, 1987, p. 112. Ver Karl Marx, "Carta à redação da *Otechestvenye Zapiski*, 1877", em Karl Marx e Friedrich Engels, *Luta de classes na Rússia*, cit., p. 57-69.

dos anos 1850. Citamos como exemplo dessa concepção a carta de Marx a Engels de 29 de abril de 1858, na qual ele reconhece a existência de um processo histórico relativamente autônomo na Rússia:

> O movimento da emancipação dos servos na Rússia me parece importante na medida em que se mostra o começo de uma história interna dentro do país, a qual pode atravessar o caminho da sua tradicional política externa. Naturalmente, Herzen fez de novo a descoberta de que "a liberdade" emigrou de Paris para Moscou.[17]

Na década de 1870, Marx parece estar completamente a par dos acontecimentos na Rússia e ainda mais convencido do potencial revolucionário que ali fermenta. O seguinte trecho da carta de Marx a Friedrich A. Sorge, de 27 de setembro de 1877 é eloquente quanto a isso:

> Essa crise[18] é *um novo ponto de inflexão* da história europeia. A Rússia – e eu estudei suas condições a partir das fontes originais *russas*, não oficiais e oficiais (as últimas são acessíveis a apenas poucas pessoas, mas foram arranjadas para mim por amigos em Petersburgo) – estava já havia muito tempo no limiar de uma viragem; todos os elementos para isso estavam prontos. [...] A viragem começará *secundum artem*[19] com joguetes de constituição, *et puis il y aura un beau tapage*[20]. Se a mãe natureza não nos for particularmente desfavorável, ainda vivenciaremos o júbilo!
> A bobagem que fazem os estudantes russos é apenas sintoma, em si mesmo sem valor. Mas é sintoma. Todas os estratos da sociedade russa estão econômica, moral e intelectualmente em completa decomposição.
> Dessa vez a revolução começa no Leste, onde se encontrava o baluarte até então incólume e o exército reserva da contrarrevolução.[21]

E, por fim, no prefácio de 1882 para a edição russa do *Manifesto comunista*, no qual Marx e Engels lançam um olhar retrospectivo e comparativo em relação ao processo revolucionário de fins dos anos 1840:

> O *Manifesto comunista* tinha como tarefa a proclamação do desaparecimento próximo e inevitável da moderna propriedade burguesa. Mas na Rússia vemos que, ao lado do florescimento acelerado da velhacaria capitalista e da propriedade burguesa [da terra] que começa a desenvolver-se, mais da metade das terras é possuída em

---

[17] MEW 29, 1978, p. 324.

[18] Marx se refere aqui à chamada "crise oriental" dos anos 1870 que levou à guerra de Sérvia e Montenegro contra a Turquia (1876) e à guerra russo-turca (1877-1878). Essa crise foi desencadeada pela insurreição em julho de 1875 na Herzegovina, que clamava pela libertação nacional em relação ao jugo turco, insurreição essa que se alastrou para a Bósnia em agosto do mesmo ano. MEW 34, 1966, p. 542 e 545, notas 24 e 43.

[19] De acordo com a tradução disponível na MEW 34, 1966, "segundo todas as regras da arte".

[20] De acordo com a tradução disponível na MEW 34, 1966, "e assim haverá um belo estrondo".

[21] MEW 34, 1966, p. 296.

> comum pelos camponeses. O problema agora é: poderia a *obschina* russa – forma já muito deteriorada da antiga posse [comum] da terra – transformar-se diretamente na [forma mais elevada da posse comum] comunista? Ou, ao contrário, deveria primeiramente passar pelo mesmo processo de dissolução que constitui [o desenvolvimento histórico] do Ocidente?
> Hoje em dia, a única resposta possível é a seguinte: se a revolução russa [se] constituir no sinal [de uma] revolução proletária no Ocidente, de modo que uma complemente a outra, a atual propriedade comum da terra na Rússia poderá servir de ponto de partida para [um desenvolvimento] comunista.[22]

Essas leitura e contraleitura podem tanto ser vistas como mudanças de opinião de Marx ao longo do tempo, como expressões da complexidade que a questão apresentava à época[23] e, ainda, como expressões de tendências e contratendências de um processo histórico. Essa última opção é particularmente interessante pois permite ler essas idas e vindas de posição como elementos que fazem da análise do processo social algo concreto[24]. Nesse sentido, o texto que se apresenta aqui é justamente o esboço de um estudo que busca apreender o estabelecimento de uma contratendência em relação a uma possibilidade revolucionária, isto é, de um desenvolvimento específico do capital na Rússia, cuja

---

[22] Karl Marx e Friedrich Engels, *Manifesto comunista* (trad. Álvaro Pina e Ivana Jinkings, São Paulo, Boitempo, 2002), p. 73. Cotejado com MEW 4, 1977, p. 576.

[23] Marx se opunha à tese defendida por Alexander Herzen de que a Rússia teria "uma missão especial por meio da realidade em si já existente de uma constituição agrária socialista", interpretando-a "em conexão com tendências pan-eslavistas". Para evitar ter sua defesa da *obschina* confundida com tais tendências, Marx enfatizou o "atraso das estruturas agrárias russas e [colocou] a 'tendência socialista' das formas arcaicas na evidência da não originalidade da propriedade privada", de modo a entender a *obschina* como o início de, "sob determinados pressupostos, um caminho não capitalista para o socialismo", isolando, com isso, o pan-eslavismo de Herzen (Andreas Arndt, *Karl Marx: Versuch über den Zusammenhang seiner Theorie*, cit., p. 94). Engels caracteriza o pan-eslavismo em carta a Bernstein de 22-25 de fevereiro de 1882 como "um produto artificial dos 'estamentos eruditos', das cidades e universidades, exército e oficiais, o campo nada sabe sobre isso e mesmo a aristocracia rural está num apuro tão grande que pragueja contra toda guerra" (MEW 35, 1967, p. 279).

[24] "O concreto é concreto por que é a síntese de múltiplas determinações, portanto, unidade da diversidade"; Karl Marx, *Grundrisse*, cit., p. 54. Assim, as tendências e contratendências são "múltiplas determinações" que expressam o "funcionamento" do capital, o qual é, em essência, contraditório. De outro modo, teríamos dele tão somente unilateralidades abstratas incapazes de expressar suas contradições essenciais e, portanto, incapazes de explicar sua aparência. Daí o modo interessante pelo qual Marx lida com a ideia de *lei*, bem como a necessidade de uma compreensão *dialética* das leis econômicas presentes na crítica da economia política, a qual se opõe veementemente a fatalismos teleológicos. Veja Hyury Pinheiro, "Para uma leitura dialética de lei econômica em Marx", *IX Colóquio Internacional Marx e Engels*, Campinas, 2018. Disponível em: <https://anais9coloquiomarxengels.wordpress.com/gts/>, acesso em 30 maio 2019.

especificidade se origina – arrisca-se dizer – na tutela estatal e latifundiária da abolição da servidão, na incubação estatal do sistema de crédito e no assalariamento da força de trabalho por meio do endividamento. Vale dizer que esse é apenas um aspecto dentre outros, ou uma totalidade dentre outras, que precisam ser estabelecidos e relacionados a fim de se alcançar um conhecimento concretamente científico de dado processo histórico. Uma dessas totalidades é exposta por Lênin em seu estudo de 1899 sobre o desenvolvimento do capitalismo na Rússia que aborda a formação do mercado interno nesse contexto. Infelizmente jamais saberemos se essas "Notas..." assumiriam, por fim, um estudo tão completo quanto o de Lênin, mas podemos depreender dele que a contratendência esboçada por Marx triunfou sobre a tendência socialista da *obschina*[25] no fim do século XIX.

Além dessa problemática apreendida a contrapelo acerca do processo de mudança social na Rússia e das questões mais gerais que ele suscita, como a existência ou não de "etapas" históricas de uma marcha universal rumo ao socialismo, a necessidade ou não de processos transformativos determinados etc., as "Notas..." suscitam temas que comporiam o "livro sobre o Estado" planejado por Marx em fins dos anos 1850[26] e que se intersecionam com as determinações próprias do capital. Pensamos aqui em especial – observando a sugestão de Gunter Willing[27] – na intersecção da questão tributária com a

[25] "Contrariamente ao apregoado pelas teorias dominantes entre nós no último meio século, a comunidade camponesa russa não é antagônica ao capitalismo, mas, ao contrário, é sua base mais profunda e sólida. A mais profunda porque é no seu interior mesmo, sem nenhuma influência 'artificial' e apesar das instituições que entravam os progressos do capitalismo, que constatamos a formação constante de elementos capitalistas. A mais sólida porque é sobre a agricultura em geral e o campesinato em particular que pesam mais intensamente as tradições da Antiguidade, as tradições do regime patriarcal e, consequentemente, é aí que a ação transformadora do capitalismo (desenvolvimento das forças produtivas, transformações das relações sociais etc.) se manifesta mais lenta e gradualmente"; Vladimir Ilitch Ulianov Lênin, *O desenvolvimento do capitalismo na Rússia: o processo de formação do mercado interno para a grande indústria* (trad. José Paulo Netto, São Paulo, Nova Cultural, 1985), p. 113.

[26] Segundo o plano de Marx para a crítica da economia política que vigorou entre 1858 e 1862, o "livro sobre o Estado" era o quarto de seis livros, a saber: I) Do capital; II) Propriedade da terra; III) Trabalho assalariado; IV) Estado; V) Comércio exterior; VI) Mercado mundial. O livro I consistia em quatro partes: 1) O capital em geral; 2) A concorrência; 3) O crédito; 4) O capital acionário. A parte 1, por sua vez, se subdividia em três itens: a) A mercadoria; b) O dinheiro; c) O capital. A partir desse terceiro item, Marx desenvolveu aquilo que se tornou *O capital*, por vezes absorvendo temas dos outros livros, por outras os deixando de lado para posterior retomada. Veja o esquema sintético do plano em MEW 26.1, 1965, p. VI.

[27] "Welche Hinweise kann der dritte Band des 'Kapitals' für das Nachdenken über Marx' 'Buch vom Staat' geben", *Beiträge zur Marx-Engels-Forschung* (Berlim, Institut für Marxismus-Leninismus beim Zentralkomitee der SED, Heft 25, 1988), p. 273-83.

sedimentação de uma economia monetária e consequente proletarização do campesinato, para o que contribuiu significativamente, em especial na Rússia de meados do século XIX, o endividamento provocado pela política tributária e de indenizações advinda da emancipação de 1861. Nesse caso,

> o camponês russo foi entregue de modo vulnerável às relações dinheiro-mercadoria por conta da carga tributária, mas sobretudo por meio dos fundos de resgate que ele tinha que pagar pela reforma de 1861. Marx nota no início dos anos 1880 de modo abrangente o papel do Estado tsarista na pilhagem dos camponeses após a ab-rogação da servidão em suas "Notas sobre a reforma de 1861".[28]

Nesse processo, os impostos pagos pelos então servos, seja *in natura*, seja em dinheiro, foram superavaliados e capitalizados como uma renda regular, desenvolvendo assim preços exorbitantes para o solo e um aprisionamento cada vez mais evidente do campesinato à economia monetária. O trecho a seguir, retirado de um artigo de Engels de 1875, compartilha desse diagnóstico:

> A consequência mais elementar dessa "reforma" foi uma nova carga tributária para os camponeses. O Estado manteve o conjunto de suas receitas, mas empurrou grande parte das próprias despesas para as províncias e para os distritos, que, para fazer frente a elas, instituíram novos impostos; e na Rússia é regra que os estamentos mais altos estão quase isentos de impostos – e o camponês paga quase tudo.
> [...] Quando se aproxima o prazo de pagar os impostos, lá vem o usurário, o *kulak* – frequentemente um camponês rico da mesma comunidade – e oferece seu dinheiro em espécie. O camponês precisa do dinheiro de qualquer maneira e tem de aceitar as condições do usurário sem reclamar. Fazendo isso, ele só se afunda ainda mais no aperto, precisando de mais e mais dinheiro vivo.[29]

No mais, Willing vê no item "Rússia" "indispensáveis determinações de conteúdo para o 'livro sobre o Estado': a relação recíproca entre capital estatal [...], sociedades acionárias, orçamento estatal, sistema bancário e sistema da dívida pública"[30]. O "capital estatal" é entendido e mobilizado aqui tal como afirmado por Marx, isto é, "na medida em que os governos empregam trabalho assalariado produtivo em minas, ferrovias etc., e, assim, funcionam como capitalistas industriais"[31]. Desse modo, seria possível inferir a partir dessas e de outras

---

[28] Ibidem, p. 279.

[29] Friedrich Engels, "Literatura de refugiados V", em Karl Marx e Friedrich Engels, *Luta de classes na Rússia*, cit., p. 27.

[30] Gunter Willing, "Welche Hinweise kann der dritte Band des 'Kapitals' für das Nachdenken über Marx' 'Buch vom Staat' geben", cit., p. 279.

[31] Karl Marx, *O capital: crítica da economia política*, Livro II : *O processo de circulação do capital* (trad. Rubens Enderle, São Paulo, Boitempo, 2014), p. 175.

indicações esparsas espalhadas pelos escritos de Marx elementos para uma teoria do Estado específico ao modo capitalista de produção.

Outro ponto sobre o qual repousa a importância dessas "Notas..." e, em maior medida, a dos estudos que as fundamentam, é o seu significado para a elaboração de *O capital*. É possível notá-lo, primeiramente, na própria declaração de intenção de Marx em carta direcionada a Danielson em 12 de dezembro de 1878, em que se lê: "No tomo II de *O capital*[32], na seção sobre a propriedade fundiária, me ocuparei de modo muito detalhado com a forma russa" (MEW 33, p. 549). Tal sentido de desenvolvimento que a pesquisa ia assumindo na década de 1870 é confirmado pelo testemunho de Engels presente no prefácio ao Livro III dessa obra, de 1894. Lá, ele afirma:

> Para essa seção sobre a renda fundiária, Marx havia feito, na década de 1870, pesquisas especiais totalmente novas. Ele estudara no idioma original os registros estatísticos e outras publicações sobre a propriedade fundiária – *tornados inevitáveis depois da "reforma" de 1861 na Rússia* –, que lhe haviam sido fornecidos por amigos russos da forma mais completa possível; desse material, ele extraiu citações, as quais *pretendia utilizar na reelaboração dessa seção*. Dada a variedade das formas, tanto da propriedade fundiária quanto da exploração dos produtores agrícolas na Rússia, *esse país deveria desempenhar, na seção sobre a renda fundiária, o mesmo papel que, no Livro I, havia sido assumido pela Inglaterra no que diz respeito ao trabalho assalariado industrial. Lamentavelmente, não lhe foi possível executar esse plano.*[33] (Destaques nossos)

E mesmo que Engels tenha tido acesso a esses documentos e soubesse da inevitabilidade de sua consideração para o Livro III, não ousou executar o plano do amigo, restringindo-se aos manuscritos de 1864-1865[34]. Essa inevitabilidade pode ser vista no desânimo de Marx ao receber o pedido de Otto Meißner por uma terceira edição do Livro I de *O capital*. Ele desabafa com Danielson em

---

[32] Por "tomo II" se entendem aqui os livros II e III de *O capital*, tal como se lê no prefácio à primeira edição da obra, em 1867.

[33] Friedrich Engels, "Prefácio", em Karl Marx, *O capital: crítica da economia política*, Livro III: *O processo global da produção capitalista* (trad. Rubens Enderle, São Paulo, Boitempo, 2017), p. 36

[34] Michael Heinrich, "Prefácio – O Livro II de *O capital*", em Karl Marx, *O capital*, Livro II, cit., p. 20. Dussel relaciona pelo menos treze manuscritos relacionados ao Livro III que foram elaborados entre 1864 e 1882, aí inclusos tanto o manuscrito principal trabalhado por Engels (A 80) quanto as "Notas..." aqui apresentadas (A 113). A 80 e A 113 são rubricas de classificação utilizadas pelo Instituto Internacional de História Social (IISG) para organizar os manuscritos de Marx, que figuram entre A 1 e A 115; Enrique Dussel, "As quatro redações de 'O capital' (1857-1880): rumo a uma nova interpretação do pensamento dialético de Marx", em Luciana Aliaga, Henrique Amorim e Paula Marcelino (orgs.), *Marxismo: teoria, história e política* (São Paulo, Alameda, 2011), p. 44-5.

carta de 13 de dezembro de 1881 que aquele era "um momento muito inconveniente", dado que, além da perda recente de sua companheira Jenny Marx, nascida von Westphalen, ele se encontrava doente e queria "terminar o tomo 2 o mais rápido possível (mesmo que ele deva ser publicado no exterior)". É verdade que o motivo da pressa de Marx é justificado por ele mesmo pelo desejo de dedicar o tomo a Jenny[35]. No entanto, a sua dedicação ininterrupta ao desenvolvimento de *O capital* nos permite imaginar sua ansiedade por incorporar a questão russa na crítica da economia política. Mesmo que essa falta seja compreensível, haja vista o volume de trabalho que Engels havia assumido após a morte de Marx, não se pode deixar de pensar que os resultados que foram apresentados no Livro III poderiam ser outros, caso fossem reelaborados por Marx.

Michael Krätke se arriscou a especular sobre o que teria se tornado a pesquisa de Marx, caso ele tivesse avançado nela em condições ideais de saúde – uma especulação, vale notar, pautada em uma detida pesquisa sobre a vida e o pensamento do autor. Ele escreve:

> *O capital* [...] teria comportado muito menos "leis gerais" e muito mais reservas no que se refere à sua validade. Haveria muito mais causalidades bastante específicas, seja segundo "meios nacionais" (ou o tipo dominante de capitalismo), seja segundo "meios históricos" diferentes, dos quais surgiam formas diferentes de capitalismo industrial, agrícola e comercial. Haveria muito mais explicações em termos de desenvolvimento do capitalismo considerado segundo os diferentes tipos de duração e também em termos de "mudanças necessárias", seja das tendências gerais, seja das formas elementares. *O capital* teria, portanto, se tornado um livro muito mais historicizado, mas não puramente histórico e menos ainda historicista. Um livro que contém partes da história argumentada do capitalismo moderno, que expõe ainda mais suas mudanças estruturais no que se refere ao regime monetário, às formas da renda fundiária, às formas de propriedade e de gestão do capital etc.[36]

Apesar disso, Krätke não defende a tese de que Marx teria negado o seu "método 'genético' de 'desenvolvimento' das categorias", mas afirma que o autor foi, paulatinamente, tateando os "limites do método dialético" (idem). Se concordamos com a primeira posição, temos reservas quanto ao sentido desses "limites". Isso porque, quando olhamos de modo detido 1) para o que Marx entendia por "materialismo" e seu próprio método dialético e 2) para o que Hegel chamava de "idealismo objetivo" e seu método "absoluto" ou "especulativo", é possível encontrar um núcleo comum a ambos, qual seja, o *esforço por mediar o imediato* ou a busca por apresentar o fundamento do objeto

---

35 MEW 35, 1967, p. 245-6.

36 Michael R. Krätke, "O último Marx e *O capital*", em Luciana Aliaga, Henrique Amorim e Paula Marcelino (orgs.), *Marxismo*, cit., p. 27.

apreendido, negando, assim, sua mera aparência inicial e elevando-a a um outro registro, adequado à natureza do objeto. O tratamento desse fundamento ocorre por meio da apreensão das negatividades próprias ao objeto, do estabelecimento de conexões necessárias entre elas (sendo tal necessidade oriunda do próprio objeto, cujo interior é constituído por elas) e a apresentação dessas conexões a partir de um discurso racionalmente ordenado, ou seja, a partir de um *conceito*[37].

Percebe-se, então, que a determinação das diferenças entre os "métodos" de ambos os autores está posta, enfim, na distinção entre seus *objetos*. Daí que Marx, ao se entregar aos dados qualitativos e quantitativos produzidos no âmbito do desenvolvimento econômico e social russo, não estaria percebendo os "limites do método dialético", isto é, suas insuficiências, mas justamente *realizando* esse método. Esse sentido de realização é corroborado por uma formulação marxiana de 1858, segundo a qual "a forma dialética da apresentação está correta apenas quando ela conhece seus limites" (MEGA II/2, p. 91). Tais "limites" seriam oriundos do interior do objeto, e, ao serem dialeticamente refletidos no método, acusariam a correção desse último. Não seria absurdo pensar, então, que os níveis de abstração do conceito de capital[38] sejam justamente demarcações que refletem esses limites próprios à constituição interna do objeto "capital". Assim, os "limites" encontrados no objeto e elaborados metodicamente em um sistema categórico por Marx seriam, ao mesmo tempo, a prova da correção metódica e o indício da necessidade do desenvolvimento do processo de concreção do objeto e, portanto, da suspensão de seus momentos mais abstratos.

Estamos, portanto, diante de um documento muito interessante do ponto de vista da compreensão do *modus operandi* da pesquisa marxiana e cujas implicações temáticas remetem a várias conexões no plano da circulação de ideias da época e a várias possibilidades de leitura dos textos marxianos de maturidade, notadamente os de crítica da economia política em suas diversas fases de

---

[37] No que diz respeito a esse difícil e polêmico debate, indicamos a leitura de Karl Marx, *Grundrisse*, cit., p. 54-64, texto do qual destacamos o papel *conceitual* que o capital assume à p. 60; e de Georg W. F. Hegel, *Fenomenologia do espírito* (trad. Paulo Menezes, 6. ed., Petrópolis/ Bragança Paulista, Vozes/Editora Universitária São Francisco, 2011), p. 25-70, em especial onde se lê: "no pensar conceitual o negativo pertence ao conteúdo mesmo e – seja como seu movimento *imanente* e sua determinação, seja como sua *totalidade* – é o *positivo*. O que surge desse movimento, apreendido como resultado, é o negativo *determinado* e, portanto, é igualmente um conteúdo positivo". Ibidem, p. 62.

[38] Ver Roberto Fineschi, "The Four Levels of Abstraction of Marx's Concept of 'Capital'", em <https://www.marx-gesellschaft.de/Texte/1005_Fineschi_Four%20Levels_Abstraction.pdf>, acesso em 30 ago. 2019.

desenvolvimento entre os anos 1850 e 1880, ano em que foram terminadas as "Glosas marginais ao *Tratado de economia política* de Adolph Wagner". Esperamos que, nesse sentido, esta tradução venha a provocar a curiosidade de pesquisadoras e pesquisadores, profissionais ou não, que reflitam não apenas sobre os aspectos aqui levantados, mas que façam também novas e instigantes perguntas ao documento. Isso porque os textos de Marx, enquanto documentos históricos e produtos teóricos de sua época, não falam por si, de modo que é preciso, antes, fazê-los falar.

NOTAS SOBRE A REFORMA DE 1861 E O QUE DAÍ SE DESDOBROU NA RÚSSIA[1*]

[I]
Andamento [da preparação da reforma]

Que agradável foi para *Alex[andre] II*[2] *(a recomendação da Comissão nada pôde alterar a esse respeito) a aquisição dos усадьбы* [*usad'by*][3] nos primeiros éditos soberanos de 1857 (Skaldin, 117 abaixo e 118[4]). Sob o mesmo Alexandre, defraudação dos camponeses por conta do adquirido antes e depois de 1848 (123[5]).

---

1 Marx escreveu as "Notas sobre a reforma de 1861 e o que daí se desdobrou na Rússia" entre o fim de 1881 e 1882. Ele utilizou, para seu trabalho, dados de publicações oficiais e muitas obras de autores russos. Enquanto Marx anotava outros registros referentes ao estudo das fontes russas em seus cadernos, utilizou algumas páginas para as notas sobre a reforma de 1861. Nelas referenciou títulos de trabalhos e parágrafos, bem como algarismos e letras em conformidade com o texto. Além das remissões ao material que fora reunido em muitos cadernos, encontram-se aqui dados factuais já sistematizados com inferências sobre as questões fundamentais da reforma de 1861 e o que daí se desdobrou na Rússia.

As notas foram formuladas nas línguas alemã, inglesa e francesa. As passagens traduzidas do inglês e do francês para o alemão são marcadas pelo uso de aspas angulares (⟨⟩). Marx emprega também termos do russo, ora em escrita latina, ora em cirílico. (N. E. A.)

* Todos os títulos, palavras e partes de palavras que estão entre colchetes provêm da edição do tomo 19 das *Marx-Engels Werke*, pela qual foram responsáveis Walter Schulz e Richard Sperl. (N. T.)

2 Alexandre II (1818-1881), tsar da Rússia (1855-1881). (N. E. A.)

3 Sítios. (N. E. A.)

4 Referência à página do caderno com registros de Marx sobre o livro de Skaldin, *W sacholustij i w stolize* [No rincão e na capital]. (N. E. A.) [Traduzido de acordo com a tradução alemã do título da obra de Skaldin presente em MEGA IV/32, p. 245. – N. T.]

5 Referência à página do caderno com registros de Marx sobre o livro de Haxthausen, *Die ländliche Verfassung Rußlands* [A constituição agrária da Rússia]. (N. E. A.)

1. ⟨Após a proclamação do *Manifesto* da Emancipação em 19 de fevereiro de 1861 (3 de março*), agitação geral e tumultos entre os camponeses; eles tomaram o documento por algo falsificado, inautêntico; execuções militares; espancamento geral dos servos durante os primeiros três meses após o "Manifesto". Por que essa "*abertura*" peculiar para esse espetáculo anunciado com tanto barulho?⟩

Os pontos seguintes precisam conter, posteriormente, outros algarismos além dos romanos, a fim de se ver como um ponto se sucede ao outro.

a) Com relação à *Comissão de Redação* e sua *liberdade* (caderno, p. 102[6]**). Em *4 de março de 1859*, a Comissão de Redação inaugurou suas sessões; em 5 de março, a primeira sessão propriamente dita. *15 de abril de 1859 (suposta*

---

* Data do calendário gregoriano correspondente ao 19 de fevereiro de 1861 do calendário juliano ortodoxo. Agradeço a Luis Felipe Osório, que revisou esta tradução, pela indicação. (N. T.)

6 Referência aos registros de "Zur rüssischen Leibeignen-Emanzipation" [Sobre a emancipação russa dos servos], os quais Marx redigiu com base em "Pis'ma bez adresa" [Cartas sem endereço], de Tchernychévski. (N. E. A.) [O título da obra de Tchernychévski foi traduzido de acordo com a tradução alemã presente em MEGA IV/32, p. 185. – N. T.]

** É digno de nota que, para realizar seus registros, Marx tenha se baseado nessas "Cartas sem endereço" de Tchernychévski, as quais foram escritas em 1862 e publicadas só em 1874 no segundo volume da revista *Вперёд!* [*Vperiod!*], fundada por Piótr Lávrovitch Lavrov (1823--1900). O hiato entre a escrita e a publicação das "Cartas" foi gerado pela censura sofrida pelo escritor russo, haja vista serem direcionadas ao "tsar Alexandre II e aos leitores em nome de uma constituição liberal, reformas administrativas e da liberdade de imprensa"; Camilo José Teixeira Domingues, *Nikolai Gavrílovitch Tchernychévski e a intelligentsia russa: filosofia e ética na segunda metade do século XIX* (mestrado em história, Niterói, ICHF-UFF, 2015), p. 93. Como indicam as cartas de Marx a Nikolai F. Danielson – de 12 de dezembro de 1872 (MEW 33, p. 549, p. 795, nota 563) – e de Engels a Marx – de 29 de novembro de 1873 (MEW 33, p. 93, p. 728, nota 121) –, o Mouro já conhecia o escrito de Tchernychévski antes da sua publicação, tendo, inclusive, recebido os manuscritos de Danielson, os quais ele agradece na carta citada. Ao que parece, o manuscrito impressionou tanto Marx que ele pretendeu, com a ajuda do revolucionário russo Nikolai I. Utin, publicá-lo em Genebra, mas acabou vindo a lume, por fim, em Zurique, pelas mãos de Lavrov (MEW 33, p. 795, nota 563). O interesse nas "Cartas" de Tchernychévski – que pode ser inferido pela tradução parcial do texto realizada por Marx nos seus "Cadernos sobre agricultura" – se concentra na crítica do escritor russo "à reforma agrária de 1861, que, do seu ponto de vista, ocorreu no interesse da nobreza e dos proprietários de terra e não trouxe consigo nenhuma libertação dos camponeses", contra o que ele reivindicava "a manutenção da comuna de redistribuição ('mir'), a libertação completa dos servos e a distribuição gratuita do solo em favor dos camponeses" (MEGA IV/18, p. 875-6, 879). (N. T.)

consulta do povo) (p. 106). Nas sessões de *6, 9, 13 de maio e 20 de maio de 1859*, sobre a situação dos agregados por tempo, é admitido, com *protestos* do ⟨*conde*⟩ *Peter Shuvalov*[7] e de *Knjas*[8] *Paskevitch*[9], que a *libertação pessoal dos camponeses* poderia ser feita independentemente das condições a eles *prescritas* (impostas compulsoriamente) para aquisição da propriedade da terra[10]. De imediato, a *ordem* soberana *recusa, em 21 de maio, a inserção de seus protestos no livro de protocolos (p. 107, 108). Chavão da Comissão: "que deletério o menor desvio em relação à vontade imperial"* (p. 108, acima). *5 de janeiro de 1859*, fica proibido aos ⟨Comitês da Nobreza e do Governo permitir a entrada do público etc.⟩.

Proibições de pressão etc., a mesma de 21 de janeiro de 1859 e de 3 de março de 1859 (p. 106).

⟨Por fim: o imperador prometera publicamente que, antes que o projeto se tornasse lei, os delegados dos Comitês de Governo deveriam ser convidados a São Petersburgo para manifestar objeções e sugerir melhorias... Eles foram convocados à capital, contudo não lhes foi permitido organizar uma assembleia pública para a discussão das questões. Todos os seus esforços para arranjar encontros foram frustrados: requereu-se deles apenas responder por escrito uma lista de questões impressas sobre pormenores. Aqueles que ousaram discutir especificidades foram intimados a presenciar pessoalmente as sessões da Comissão e ali foram rudemente tratados; muitos grupos de delegados submeteram petições ao tsar que continham um protesto contra a maneira pela qual foram tratados; *eles receberam uma advertência* formal por intermédio da polícia.⟩ Quiseram, então, ⟨protestar nas *Assembleias Governamentais trienais dos nobres*. Uma circular os proibiu de tocar na questão da libertação. Apesar disso,

---

[7] Piotr Andreievitch Shuvalov, conde (1827-1889), general russo e diplomata, chefe da terceira divisão da chancelaria secreta do tsar (polícia secreta) (1866-1873), embaixador na Inglaterra (1874-1879). (N. E. A.)

[8] *Príncipe*. (N. E. A.)

[9] Fiódor Ivanovitch Paskevitch (1823-1903), general-assistente; membro das Comissões de Redação para o estabelecimento das regulamentações sobre os camponeses apartados da servidão. (N. E. A.)

[10] Mesmo que Shuvalov e Paskevitch se declarassem a favor da libertação pessoal dos camponeses, eles queriam deixar todo o território aos proprietários de terra e conceder aos camponeses apenas o direito sobre a utilização de uma área do solo em contrapartida à obrigatoriedade do trabalho. (N. E. A.)

algumas assembleias apresentaram ao tsar a posição de que chegara a hora de outras reformas.⟩ Daí ⟨alguns marechais da nobreza foram advertidos, outros depostos. Dos líderes, *dois foram desterrados* para governos distantes, outros colocados sob a vigilância da polícia.⟩

De fato, tudo ocorreu *par ordre du moufti*[11]. Alexandre II ⟨estava decidido desde o início a dar aos proprietários tanto quanto fosse possível (e aos camponeses tão pouco quanto fosse possível), a fim de conciliá-los com a *abolição formal da servidão*; ele quis tornar obrigatório apenas o resgate da terra do camponês – sua terra, suas hortas, seus campos de linho e, além disso, o usufruto dos campos (onde ele existiu); ele quis até mesmo manter uma espécie de jurisdição dos senhores de terras sobre os camponeses; insistiu que eles deveriam se submeter a um período transicional de doze anos de servidão etc. Veja seu édito de 20 de novembro de 1857 ao ajudante geral *Nasimov*[12], ao governador geral *dos três governos de Vilnius, Caunas e Grodno* como resposta aos seus *Comitês da Nobreza* (p. 103[13]).⟩

Por meio de sua hesitação, enquanto ele falava, já em *março de 1855* – após a convocação do Landsturm* de 29 de janeiro de 1855 –, diante do marechal do governo e dos marechais do distrito, a respeito da *abolição da servidão*, a qual, entretanto, não tinha a intenção de *levar adiante de*

---

[11] Por ordem soberana. (N. E. A.)

[12] Vladimir Ivanovitch Nasimov (1802-1874), general russo, governador militar de Vilnius, Grodno, Minsk e Caunas (1855-1863). (N. E. A.)

[13] Referência à página do caderno com registros de Marx sobre o livro de Haxthausen, *Die ländliche Verfassung Rußlands* [A constituição rural da Rússia]. (N. E. A.)

* Pelo menos na Alemanha do início do século XX e de fins do XIX, Landsturm se referia ao grupo extramilitar constituído a partir do recrutamento de civis entre os 17 e 45 anos completos, a fim de, em caso de necessidade militar extraordinária decorrente de guerra, suplementar o contingente do Exército (ref. Friedrich Oetker, "Die Wehrpflicht im Deutschen Reiche und in Oesterreich-Ungarn" [O serviço militar no reino alemão e na Áustria-Hungria], *Archiv des Öffentlichen Rechts*, Tübingen, Mohr Siebeck GmbH & Co, v. 36, n. 1, 1917, p. 23). Entretanto, ao usar esse termo, Marx não parece fazer referência ao Landsturm alemão, e sim ao seu correlato russo, o Opoltchenie. Beyrau, que faz menção à convocação de 29 de janeiro de 1855 citada por Marx, explica: "O Opoltchenie, comparável ao Landsturm prussiano, foi recrutado já em 1808 e 1812 e, em seguida, se recorreu a ele novamente em 1854-1855

imediato (!), ele permitiu aos пом[ещикам] [*pomechtchikam*][14] piorar por demais as condições materiais dos camponeses. Veja as *Circulares*, p. 105; *Skaldin, p. 110* e *p. 114*.

Em *3 de janeiro de 1857*, seguindo a *sugestão do Lanskoi*[15], foi formado um *Comitê Secreto* sob a presidência de Alexandre; em sua ausência, sob a do príncipe Orlov[16]. Foi decidido convidar os Comitês da Nobreza para colaboração etc. (p. 103). Decidiu-se de imediato, nas sessões de *14, 17, 18 de agosto*, pela melhoria dos camponeses apenas de modo *lento* e *precavido* (loc. cit.).

8 de janeiro de 1858. "Comitê Secreto" se transforma em "*Alto Comitê*", anexo ao qual está, além disso, uma "*Comissão Especial*" para o *exame* provisório dos *rascunhos do Comitê do Governo*. Formado, além disso, o земск[ая] [*zemskaia*][17], *divisão* ⟨*agrária*⟩ do *Comitê Estatístico Central* do Ministério do Interior para o julgamento das relações ⟨agrárias⟩ do reino e, também, para o exame provisório dos comitês do governo* (p. 103).

Foi dividido nos chamados *drujiny*, com 1.090 homens cada, os quais deveriam se formar dentro das cidades distritais do governo afetado. Os oficiais foram escolhidos pela nobreza. Distintamente do recrutamento normal para o Exército, os servos incorporados no Opoltchenie não foram libertados, uma vez que o serviço no Opoltchenie foi estipulado apenas para um tempo limitado. Essa forma de Opoltchenie não deve ser confundida com o conceito de Opoltchenie, tal como ele é usado nos memorandos de Miljutin. Por Opoltchenie deve ser compreendido, aqui, a reserva, ou um tipo no sentido do Exército prussiano"; Dietrich Beyrau, "Von der Niederlage zur Agrarreform: Leibeigenschaft und Militärverfassung in Rußland nach 1855" [Da derrota à reforma agrária: servidão e constituição militar na Rússia após 1855], *Jahrbücher für Geschichte Osteuropas*, Wiesbaden, Franz Steiner Verlag, Neue Folge, Bd. 23, H. 2, 1975, p. 208. (N. T.)

[14] Proprietários de terra. (N. E. A.)

[15] Serguei Stepanovitch Lanskoi, conde desde 1861 (1787-1862), estadista russo, ministro do Interior (1855-1861); participou da abolição da servidão de 1861. (N. E. A.)

[16] Alexei Fiodorovitch Orlov, conde (a partir de 1861), príncipe (1786-1861), militar russo, estadista e diplomata; em 1856 foi presidente do conselho do reino e do de ministros; membro do Comitê Secreto e presidente do Alto Comitê para a questão camponesa; levantou-se contra a abolição da servidão. (N. E. A.)

[17] Zemstvo. (N. E. A.)

* Outras indicações sobre os zemstvos podem ser encontradas no texto de John Reed escrito em 1919: "Pode ser grosseiramente traduzido por 'county councils'. Sob o tsar, eram corpos semipolíticos e semissociais com pouquíssimo poder administrativo, desenvolvidos e controlados, em larga medida, pelos intelectuais liberais presentes entre as classes proprietárias de terras. Sua função mais importante era desenvolver a educação e o serviço social entre os camponeses. Durante a guerra, os zemstvos assumiram gradualmente toda a alimentação e o vestuário do exército russo, bem como as compras nos países estrangeiros, e o trabalho

I (2)

Foi despachado em *21 de abril (1858)*, com a *circular de Lanskoi*, o *programa soberanamente* endossado *da ocupação dos Comitês do Governo* etc. (p. 105).

Detalhes adicionais na mesma ⟨linha⟩, decisões concebidas *pelo Alto Comitê em 18 de outubro de 1858* formam o *ponto de partida* das *Comissões de Redação* (p. 105).

Em *17 de fevereiro de 1859*, as duas Comissões de Redação estavam sob a presidência de *Rostovzev*[18] (p. 105).

Em *27 de abril de 1859* (adicionada, ainda, a Comissão de Finanças), consistindo apenas de especialistas e funcionários públicos do Ministério das Finanças e do Interior (p.105). *Os três períodos das Comissões de Redação* (p. 105). (Em 6 de fevereiro de 1860 morreu *Rostovzev*.)

---

entre os soldados geralmente correspondente ao trabalho do Y. M. C. A. americano no front. Após a Revolução de Março, os zemstvos foram democratizados com a intenção de torná-los órgãos do governo local nos distritos rurais. Mas, assim como as dumas municipais, eles não puderam competir com os sovietes"; John Reed, *Ten Days that Shook the World* (Nova York, Boni and Liveright, 1919), p. XX [ed. bras.: *Dez dias que abalaram o mundo*, São Paulo, Penguin, 2010]. Y. M. C. A. é a sigla para Young Men's Christian Association, associação internacional cuja vertente norte-americana atuou na Rússia a partir de 1900 sob o nome de Maiak, visando desenvolver o serviço social, a educação e a espiritualidade cristã. Surgiu em São Petersburgo com um centro educacional e, durante a Primeira Guerra Mundial, redirecionou sua ação para o trabalho humanitário com prisioneiros de guerra. Veja Donald E. Davis e Eugene P. Trani, "The American YMCA and the Russian Revolution" [A YMCA Americana e a Revolução Russa], *Slavic Review*, Cambridge University Press, v. 33, n. 3, 1974, p. 469-91. (N. T.)

[18] Iakov Ivanovitch Rostovzev (1803-1860), estadista russo, general-assistente; desde 1857, membro do Comitê Secreto e do depois chamado Alto Comitê para a questão camponesa; desde 1859, presidente dos Comissões de Redação para o estabelecimento das regulamentações sobre os camponeses apartados da servidão. (N. E. A.)

[II]
[*Três períodos de trabalho das Comissões de Redação*]

Primeiro período	4 de março-5 de setembro de 1859	*Juntos, 1 ano e 7 meses.*
Segundo período	5 de setembro de 1859-12 de março de 1860	
Terceiro período	12 de março-10 de outubro de 1860	

Supostos princípios (estabelecidos desde antes, por meio de carta imperial etc. e do Alto Comitê).	*Praxis*
a) *A aquisição precisa ser voluntária para ambas as partes (com exceção dos усадеб* [*usadeb*][19].	a) *Aquisição obrigatória apenas para os camponeses;* ⟨*proprietário de terra*⟩ *pode coagi-los à aquisição* (cf. *p. 108 abaixo e 109*, ibidem, *p. 109 Golovatchov*[20])
(29 de abril de 1859 Rostovzev) (p. 106)[21]. *Ditto* [igualmente] *(20 de maio de 1859)* – loc. cit.).	Condições da aquisição ib. *os 400 milhões em dívidas dos* пом[ещичьи] [*pomechtchitch'i*][22].

[19] *Sítios*. (N. E. A.)

[20] Referência à página do caderno com registros de Marx sobre o livro de Golovatchov, *Desjat let reform, 1861-1871* [Dez anos de reformas, 1861-1871]. (N. E. A.) [Traduzido de acordo com a tradução alemã do título da obra presente em MEGA IV/32, p. 296 – N. T.]

[21] Referência à página do caderno com registros de Marx sobre o livro de Skrebizki, *Krestjanskoje delo w zarstwowanije imperatora Alexandra II* [O campesinato sob o governo de Alexandre II], tomos 1 e 4. (N. E. A.) [Traduzido de acordo com a tradução alemã do título da obra presente em MEGA IV/32, p. 603. – N. T.]

[22] Proprietários de terra. (N. E. A.)

Detalhes adicionais sobre a aquisição (p. 106). ⟨*Sugestões*⟩ *do Alto Comitê de 4 de dezembro de 1858* (introduz Rostovzev na sessão da Comissão. Sessão de 27 de maio de 1859) *(p. 107, abaixo). Выкуп* [*vykup*][23]* com ⟨auxílio do governo⟩ já de modo hipotético no jornal do *Alto Comitê de 4 de dez. de 1858* (p. 108). *Conde Peter Shuvalov e Knjas*[24] *Paskevitch* haviam notado de modo muito certeiro em seus protestos etc. que o *projeto de Rostovzev* torna "a definitiva libertação do campesinato" dependente do выкуп [*vykup*][25]; e *"não é natural obrigar um ser humano livre a adquirir, contra sua vontade, a propriedade da terra"* (p. 108).

---

[23] *Resgate*. (N. E. A.)

* "O princípio fundamental da emancipação consistia na atribuição de um lote de terra aos servos da propriedade fundiária privada aproximadamente igual àquele ocupado por eles até então. [...] Em compensação, porém, [...] eles tiveram que indenizar seus senhores pelos tributos e serviços que estes não mais podiam exigir daqueles, com uma série de compensações monetárias anuais pagáveis em 49 anos. Na verdade, essas compensações não representavam simplesmente o preço do resgate da terra que lhes foi atribuída, mas também o preço do resgate das obrigações que, no passado, o regime feudal lhes impusera; na prática, o campesinato teve que resgatar a si próprio. O resgate assumiu a seguinte forma: o Estado compensou imediatamente os proprietários de terra expropriados com títulos da dívida; assim, por 49 anos recolheu, mediante o pagamento anual dos resgates, o equivalente do capital antecipado mais os juros. Nos casos singulares, no entanto, a aplicação desses princípios ocorreu com certa folga [...]"; Maurice Dobb, *Storia dell'economia sovietica* (Roma, Editori Riuniti, 1957), p. 80-1. (N. T.)

[24] Príncipe. (N. E. A.)

[25] Resgate. (N. E. A.)

14 de fevereiro de 1858, projeto de Rostovzev. À época, o prazo de aquisição devia ser *apenas 37 anos (mais tarde, 49)*, e... precisamente "com base no costumeiro *obrok*[26] dos camponeses".	*Lado financeiro das operações de aquisição (p. 109 Golovatchov). Ganhos dos operadores da Bolsa* (l. c.). *Queda dos papéis; para a aquisição voluntária, ⟨proprietários de terra⟩ demandam ⟨pagamento adicional⟩ dos camponeses* (*Skaldin*, p. 110, p. 117) (Skrebizki, p. 123).
b) ⟨*Servo*⟩ *não deve pagar por sua liberdade pessoal.*	b) ⟨*Servo*⟩ *tem que pagar por sua liberdade pessoal* (113 Skaldin) (*ditto p. 115*). *p. 124 Janson, Janson p. 125 abaixo*[27].
c) *O obrok já existente não deveria se elevar.*	c) *O obrok já existente se eleva* (por meio da diminuição do *nadel*[28]*, p. 116).
d) *Os camponeses devem receber esses lotes de terra* de modo a *assegurar plenamente sua existência*, além da liquidação do pagamento de tributos.	d) ⟨O fato é que⟩, em tais partes (aí incluídas mesmo as mais elevadas), a existência do camponês não é satisfeita por meio do *nadel*, mas ele *permanece dependente* do ⟨proprietário da terra⟩ por um tempo determinado.

---

26 Arrendamento da terra. (N. E. A.)

27 Referência à página do caderno com registros de Marx sobre o livro de Janson, *Opyt statistitscheskawo issledowanija o krestjanskich nadelach i plateshach* [Tentativa de uma investigação estatística sobre os lotes e os tributos camponeses], e, respectivamente, ao livro mesmo. (N. E. A.) [Traduzido de acordo com a tradução alemã do título da obra presente em MEGA IV/32, p. 353 – N. T.]

28 *Lote de terra.* (N. E. A)

* O lote de terra designado por esse termo diz respeito à unidade de terra em posse dos camponeses submetidos à servidão, na qual eles produziam sua subsistência. Com a reforma, esses camponeses se tornam devedores dos senhores de terra, tanto pela compra obrigatória dessa unidade de terra (a qual era mediada pelas comunas), quanto pelo resgate de suas obrigações pessoais (uma compensação aos senhores pelos serviços que eles não mais concederiam enquanto servos). Na medida em que essa dívida se tornava maior que a capacidade de pagamento do camponês, ele se lançava a outras atividades econômicas, dentre as quais o arrendamento de sua terra (*obrok*). Ver Fabrício Augusto de Oliveira, "Notas sobre a constituição do capitalismo na Rússia: da emancipação dos servos à grande indústria", *Revista de Economia Política*, v. 4, n. 1, jan.-mar. 1984, p. 71-86; e Ligia Maria Osorio Silva, "Lênin: a questão agrária na Rússia", *Crítica Marxista*, n. 35, 2012, p. 111-29. (N. T.)

1.

b) *Os agregados por tempo*

Sessões de 6, 9 e 13 de maio de 1858 (p. 107). À época, foram *determinados 12 anos* para *o agregado por tempo* (p. 107).

Até o início da aquisição, o *lote de terra dos camponeses* é mantido *em sua extensão existente* "com as necessárias exceções e restrições" (p. 107), o que não ocorre com o *выкуп* [*vykup*][29] (veja *Rostovzev, p. 108*, sob resgate).

Pagamentos dos agregados por tempo (p. 111 *Skaldin*; em zona em que não há chernossolo*).

Camponeses das zonas central e sulista preferem a ⟨*corveia*⟩, por eles antes tão odiada (*p. 115, Skaldin, início*).

Aqueles que estão por 9 anos presos à gleba não podem sair (*Skaldin* 117, 118).

Onde os camponeses querem adquirir усадьбы [*usad'by*][30] em part[icular] por conta da localidade, são impedidos pelo ⟨proprietário da terra⟩ etc. (p. 118 ad 2) *Skaldin. Isso nunca ocorreu de fato (ib.)*. Porque, antes do vencimento do primeiro período de 9 anos, o выкуп [*vykup*][31] é apressado pelos ⟨proprietários de terra⟩ (*p. 119 Skaldin*).

Número dos agregados por tempo em 1878 (*Janson* p. 119).

2. *Os camponeses em выкуп* [*vykup*][32]. ⟨Presos ao solo⟩ por 49 anos (p. 118 e 119 *Skaldin*). *Condições impossíveis de saída* (l. c.).

c) *Crescentes impostos das almas*** sobre os camponeses* etc. *sob o império de Alexandre II (p. 109)* (Golovatchov), *(p. 111 Skaldin e 112)*, (p. 113 abaixo) (*p. 114* início).

---

29 Resgate. (N. E. A.)

* No alemão se lê "nichtschwarzerdiger Zone", o que, em uma tradução mais literal, ficaria como "zona em que não há terra preta". De acordo com o Sistema Brasileiro de Classificação de Solos, o solo "preto, rico em matéria orgânica" é denominado "chernossolo", termo aqui adotado e que denota solos "moderadamente ácidos a fortemente alcalinos", ricos em argila, matéria orgânica, cálcio e magnésio. Veja Embrapa, *Sistema Brasileiro de Classificação de Solos* (Rio de Janeiro, Embrapa-SPI, 2006), p. 78-9. (N. T.)

30 Sítios. (N. E. A.)

31 Resgate. (N. E. A.)

32 Resgate. (N. E. A.)

** "Na linguagem comum, anterior à libertação dos servos da gleba, em 1861, designavam-se como 'almas' os camponeses que um senhor de terras possuía. Dizia-se então, por exemplo: 'Fulano possui duzentas almas'"; Boris Schnaiderman, "*Almas mortas*, a visão de um poeta", em Nikolai Gógol, *Almas mortas* (trad. Tatiana Belinky, São Paulo, Perspectiva, 2014), p. 14. (N. T.)

Sistema de gratificação para funcionários públicos pela *arrecadação dos ⟨atrasados⟩* (l. c.) (109).

Sobre o imposto das almas em geral (112, Skaldin).

Comerciantes pagam tão pouco imposto quanto a nobreza sobre a terra, que pode ser comprada por eles desde 1861.

Starovery[33]* contra o imposto das almas (112) *(Skaldin).*

Concomitantemente, os meios de mobilidade (l. c. e 113), *(desde 1863 o pedágio é devido à ⟨comuna do vilarejo⟩***, l. c.).

Ameaça do Estado a partir do sistema (abaixo da 112 l. c. *Skaldin*).

Os sem-terra também são transferidos às comunas (p. 113) *(Skaldin).*

d) Segmentação da ⟨terra dos camponeses⟩. *Efeito da tomada do bosque, campo, pasto e da segmentação de pedaços do nadel*[34] *camponês. Dependência objetiva dos camponeses em relação ao* ⟨absurdo⟩ *пом[ещичьей]* [*pomechtchitch'i*][35] *(114 Skaldin). Arrendamento por ⟨proprietários de terra⟩ e Estado (110* Skaldin). Aquisições desses *segmentos* por meio de *comerciantes* etc., arrendatário do Estado etc. (110) *(Skaldin)* ibidem *p. 114.* Ele precisa arrendar do ⟨proprietário de terra⟩ (110) (Skaldin).

Segmentos de ⟨terra camponesa⟩, pelo menos em mais que ½ das ⟨posses, redução dos segmentos de terra e elevação do pagamento sobre eles⟩ (114 *Skaldin*) e ⟨sub 2. (p. 114) (e são anexados aos domínios do proprietário de terra)⟩.

---

[33] Velhos crentes. (N. E. A.)

* "O velho-crentismo russo surgiu da fermentação religiosa do século XVII e da resistência contra a reforma eclesiástica do patriarca Nikon. Já no fim do século XVII, o movimento, perseguido com intensidade variável, exceto sob Catarina I e Alexandre I, se cindiu em uma ala que assumiu o sacerdócio efêmero da Igreja estatal (sacerdotal – *popovcy*), uma vez que os velhos crentes não tinham nenhuma hierarquia própria, e uma ala que, com exceção do batismo, rejeitou a existência de todos os sacramentos, dentre os quais também o casamento (não sacerdotal – *bespopovcy*), ala essa que, tempos depois, acabou por se compartimentalizar"; Hermann Beyer, "Marx, Weber und die russischen Altgläubigen: das altglübige Unternehmertum des 18. und 19. Jahrhunderts in der Forschung seit 1917", *Jahrbücher für Geschichte Osteuropas*, Wiesbaden, Franz Steiner Verlag, Neue Folge, Bd. 30, H. 4, 1982, p. 541 [Marx, Weber e os velhos crentes russos: o empreendedorismo velho-crente dos séculos XVIII e XIX em pesquisas desde 1917]. (N. T.)

** "Comuna do vilarejo" tem o sentido de uma associação público-jurídica de caráter administrativo subordinada ao Estado que atua em um vilarejo. (N. T.)

[34] *Lote de terra.* (N. E. A)

[35] *Senhorial.* (N. E. A)

Insuficiência do nadel (⟨portanto⟩, necessidade de arrendar e de recrutar trabalho assalariado).

Mal atende à alimentação (mesmo em chernossolo) (111 *Skaldin*). ⟨*Infertilidade dos campos* concedidos aos camponeses *e situação desfavorável*⟩ (114) *(Skaldin).*

Segundo Полож[ению] [Polojeniiu][36]: *quanto mais fértil o solo, menor o nadel* (l. c. *Skaldin*).

Estipulações da Comissão acerca do nadel mais elevado (116, Skaldin). Ainda mais diminuído por meio do ⟨*Conselho de Estado*⟩ (*ib. Skaldin*).

Janson, p. 124. Além disso, enrijecimento da migração (l. c.).

Originariamente, a insuficiência do *nadel* devia ser compensada por meio da flexibilização ⟨gov[ernamental]⟩ em favor da *migração;* mais tarde, isso foi completamente derrubado (125).

a) *Mediante as condições dentro das quais o governo colocou o camponês,* sua pilhagem ocorreu por meio de кулаками [*kulakami*][37*] e comerciantes (p. 110 Skaldin).

Casos de fome (Nota entre p. 113, 114), (compare com servidão, p. 114 cit. Skaldin *p. 205*).

b) *Sobrecarga do nadel.*

---

[36] *Decreto.* (N. E. A)

[37] *Kulaks.* (N. E. A)

* Segundo glossário de termos russos exposto no fim do artigo de Moshe Lewin, "Le problème de la différenciation de la paysannerie vers la fin de la N. E. P: les théories du Parti face aux réalités rurales", *Cahiers du Monde Russe et Soviétique*, Ehess, v. 6, n. 1, 1965, p. 5-41 [O problema da diferenciação do campesinato no fim da Nova Economia Política: as teorias do Partido em face das realidades rurais], *kulak* é o "camponês-explorador que contrata constantemente os *batraki*; difícil, aliás, de distinguir da categoria *zajitotchnye*". *Batrak*, por sua vez, é definido no mesmo glossário como "trabalhador (*travailleur*) agrícola assalariado; a ser distinguido do operário (*ouvrier*) agrícola assalariado, empregado de modo permanente nos *sovkhozes* (fazendas estatais soviéticas) e outras empresas do Estado". Já *zajitotchnye* denota "camponês abastado". Lênin, em *The Development of Capitalism in Russia* (Moscou, Progress Publishers, 1977), p. 366 [ed. bras.: *O desenvolvimento do capitalismo na Rússia*, São Paulo, Nova Cultural, 1985], chega a apontar o *kulak* como "artesão com capital". Para uma discussão em torno das definições práticas do *kulak* enquanto identidade social no contexto soviético, veja o interessante artigo de Lynne Viola, "The Peasant's Kulak: Social Identities and Moral Economy in the Soviet Countryside in the 1920s" [O *kulak* do camponês: identidades sociais e economia moral na zona rural soviética dos anos 1920], *Canadian Slavonic Papers/ Revue Canadienne des Slavistes*, Taylor & Francis, v. 42, n. 4, 2000, p. 431-60. (N. T.)

Veja exemplos na zona norte (p. 113), *igualmente bem elevada na Rússia central e sulista* (l. c.)

As monstruosidades risíveis em

1. *Estipulação do obrok*[38] (*Skaldin* p. 115 e 116) para o *trabalhador servil* (p. 116).

*Sistema de gradação por deciatina** sobre as almas (p. 116 Skaldin)* (é mais elevado em chernossolo). (Quanto menor a terra, maior o *obrok*.)

A menor terra é 1/3 de nadel, (últimas linhas p. 116 Skaldin). Onde menos deveria ser *recortado*, mas o Conselho de Estado não permitiu (*p. 116 Skaldin*, início).

O *местности* [*mestnosti*][39] *é estipulado* para *obrok* com base na aquisição (117, Skaldin).

Elevação geral do *obrok (p. 125 Janson).*

2. *Estipulação dos lotes superiores e dos inferiores.*

Os lotes inferiores entre os agregados por tempo (1/2, 1/4) (p. 117, 118, *Skaldin*).

O menor lote para выкуп [*vykup*][40] *dos camponeses é de 1/3 (Skaldin p. 118)*, (veja *118 ad 2.;* aquisição de meros усадъбы [*usad'by*][41] *nunca ocorreu de fato* (118).

Pontos de vista que, nessa circunstância, predominam na *estipulação do nadel* (*p. 124 Janson*).

1/3 *como mínimo para* ⟨*proprietário de terra*⟩ (sobre isso, Janson p. 125). Isso é ainda mais significativamente piorado *e de modo conclusivo por meio do Полож[ение]* [*Polojenie*][42] (ib.).

Sistema das gradações (p. 125 Janson).

3. "*Nadel*-⟨*órfãos*⟩". Dentro dos governos puramente agrícolas (p. 115 *Skaldin*).

---

[38] Arrendamento da terra. (N. E. A.)

* Segundo a "Lista de pesos, medidas e moedas" presente na MEW 19 (p. 672-3), "deciatina" é uma antiga medida russa de superfície e equivale a 1,92 ha., algo que Marx irá registrar mais adiante nesse rascunho. (N. T.)

[39] Terreno. (N. E. A.)

[40] Resgate. (N. E. A.)

[41] Sítios. (N. E. A.)

[42] *Decreto.* (N. E. A.)

a) *Capitalização de obrok muito elevado no caso de выкуп* [*vykup*]; ⟨portanto⟩ superestimação do solo (Skaldin p. 117, exemplo de Smolensk). Em *zona em que não há chernossolo* (117). *Na que há chernossolo ib.*

b) *Banco e compra* (p. 126-30) *(p. 132, fim).*

c) *Situação atual dos camponeses: (Janson) condição de migração* apenas para os que dispõem de meios para fazê-la, *Janson 143*; (⟨factualmente⟩, "proibição" da migração, Janson p. 144).

α) *Zona de ⟨três campos⟩ em chernossolo* (p. 120 *Janson*).

β) *Zona de estepes* (parte ocidental): *Cherson, Táurida, Yekaterinoslav* (Janson, *fim da 120 e início da 121*).

γ) *Os governos ocidentais* (119, Skaldin; *p. 121, Janson, 126 ditto*).

[III]
Zemstvo

⟨Os custos *obrigatórios* (para a administração local civil e militar) dizem respeito à maior parte, uma vez que só esses órgãos sejam instrumentos da administração do governo. Os gastos do governo sobem anualmente. Empréstimos contínuos apenas para o pagamento dos juros devidos a empréstimos anteriores.

No curto *espaço de tempo* entre 1862 e 1868, os gastos ordinários do governo subiram, entre 1862 e 1868, em torno de 42% ou, em média, em torno de 20½ milhões de rublos (em 1862, os gastos anuais ordinários somaram 295.532.000 rublos, *1868*: 418.930.000 rublos). Como um exemplo para o *crescimento dos gastos obrigatórios dos governos e do distrito,* podemos tomar um dos governos russos mais pobres, o de *Novgorod,* cujos gastos *obrigatórios* no ano de 1861 perfizeram 80.000 rublos, em *1868*, 412.000 rublos.⟩

Verdadeiro conteúdo da emancipação

⟨Guerra de guerrilha entre camponeses e proprietários de terra.

A libertação resulta simplesmente em que o proprietário de terra pertencente à nobreza não pode mais dispor da *pessoa do camponês,* não o pode mais vender etc. Essa *servidão pessoal está abolida*. Eles perderam sua *autoridade pessoal sobre a pessoa do camponês*.

Os rumores sobre a almejada emancipação dos camponeses mal tinham alcançado o plano externo, quando o governo se viu obrigado a tomar medidas contra as tentativas dos proprietários de terra de expropriar violentamente os camponeses ou de conceder a eles o solo mais infértil.

Antes, nos tempos da servidão, os proprietários de terra tinham um interesse em manter o camponês como uma *força de trabalho* indispensável; isso acabou. O *camponês* atingiu a *dependência econômica em relação a seu antigo proprietário de terra*.〉

Compra

Devido à queda 〈em torno de 20% das obrigações* (de permuta) de compra que foram emitidas pelo governo, muitos proprietários de terra não iniciaram a compra "obrigatória"; eles cobraram dos camponeses *pagamentos adicionais* a fim de compensar essa perda. Em alguns lugares, os camponeses pagaram essas somas adicionais por meio de acordo voluntário com os proprietários; após um ano e meio, entretanto, eles interromperam o pagamento ao governo do dinheiro devido pela compra. Esse pagamento adicional foi de 27 rublos〉 por alma de revisão[43].

O período desse processo de compra foi de 49 *(e 〈não〉 41)* anos; os camponeses já estavam *céticos à época sobre* 〈se viria a ser cumprida a promessa de que, após o decurso desse tempo, nenhum оброк

---

* *Obrigação* diz respeito, nesse caso, a títulos da dívida do Estado russo cuja emissão visava financiar a regularização (ou apropriação) da terra que já estava em posse do camponês (compra da terra pelo camponês por intermédio da comuna) e a sua emancipação, cuja consumação ocorria mediante o pagamento de uma indenização ao proprietário de terra. (N. T.)

[43] *Almas de revisão* dizem respeito à população masculina da Rússia feudal que estava sujeita ao imposto por cabeça ou imposto das "almas" (principalmente camponeses e cidadãos urbanos). Para tal fim, essas "almas" foram registradas em censos particulares chamados de "revisões", as quais foram introduzidas na Rússia em 1718. Em 1858 foi realizada a última – a décima – "revisão". (N. E. A.)

[*obrok*][44] precisaria ser pago pela terra que eles haviam comprado do governo.⟩

Redução das dívidas no desembolso ao ⟨proprietário de terra⟩

⟨De imediato, o governo empurrou as dívidas dos proprietários de terra para o Conselho de Tutela (Departamento de Tutela), o qual havia servido a eles como banco, sem qualquer compensação pelo tempo que ainda restava até o vencimento dos empréstimos.

Por exemplo: em 1º de abril de 1870 foram subtraídos *235.032.183 rublos* dos 505.652.107 rublos que foram pagos na conta dos camponeses, dinheiro esse que era *devido* pelos proprietários de terra às instituições estatais de crédito.⟩

Elevação do tributo das almas

Desde 1864, o подушная подать [*poduchnaia podat'*][45] cresceu (cerca de) 80%, concomitantemente ao *государст[венный] земский сбор* [*gosudarstvennyi zemskii sbor*][46]. Maior elevação do imposto das almas em 1867.

Visível a partir dos trabalhos da comissão sobre os tributos diretos[47]:

1862: da soma total do imposto russo (direto e indireto), a saber, dos 292.000.000 de rublos, 76% ou 232 milhões de rublos incidiram sobre as classes pobres (camponeses e artesãos). Mas, desde então, isso piorou significativamente, elevando-se o *imposto das almas* para os camponeses de todas as categorias; a *оброчная* подать [*obrotchnaia podat'*][48] sobre *os camponeses da Coroa* e o *госуд[арственный] земск[ий]*

---

[44] Arrendamento. (N. E. A.)

[45] Tributo das almas. (N. E. A.)

[46] *Imposto estatal do zemstvo.* (N. E. A.)

[47] "Trudy komissii wyssotschaische utschreshdjonnoi dlja peresmotra sistemy podatej i sborow", tomo 22, parte 3, parágrafo 1, p. 6-7. Os números citados por Marx foram estimados. (N. E. A.) [Trabalhos da Comissão Superior instituída para a revisão do sistema de impostos e taxas. Agradecemos a Rodrigo Alves do Nascimento pela tradução desse título direto do russo. – N. T.]

[48] Tributo de *arrendamento da terra.* (N. E. A.)

сбор [*gosudarstvennyi zemskii sbor*][49] pagos quase apenas por meio das *податные души* [*podatnye duchi*][50].

1863: imposto das almas por cabeça, 25 copeques; *1867:* já alcança *50* copeques. Душев[ой] *сбор* [*duchtchevoi sbor*][51] para гос[ударственные] зем[ские] повин[ности] [*gosudarstvennye zemskie povinnosti*][52] é elevado em 20 copeques desde 1865, agora chega a 98 c. em média por alma.

A *оброч[ная] податъ* [*obrotchnaia podat'*][53] dos camponeses da Coroa se elevou, de *1862 até 1867*, de *25.256.000 a 35.648.000 rublos* (mais de 1 rublo por alma). Em *1º de julho de 1863*, a подуш[ная] податъ [*poduchnaia podat'*][54] sobre os мещан[ах] [*mechtchanakh*][55] é revogada, deslocada com acréscimo à propriedade imóvel nas cidades, subúrbios, pontos comerciais, onde мещане [*mechtchane*][56] e camponeses têm participação, e o сбор [*sbor*][57] sobre alvarás de comércio varejista e *indústria de pré-fabricados* recai quase completamente sobre as classes податные [*podatnye*][58].

De *1862 até 1867*, os gastos ⟨ordinários do governo⟩ cresceram (excetuados os ⟨extraordinários⟩) de 295.532.000 a 398.298.000 rublos, i. e. ⟨algo⟩ em torno de 35%. A ⟨dívida estatal⟩ cresceu, no entanto, por volta de 461.160.000 rublos, em 60%; ⟨portanto⟩, dado seu pagamento: 25.315.000 a mais anualmente (*toda dívida estatal em 1867: 1.219.443.000 rublos*, anualmente: pagamento de 73.843.000 rublos).

Já em *1874*, dívida estatal: (consolidada e não registrada no grande livro) acima de *1.471½ milhões de rublos.*

---

49 *Imposto estatal do zemstvo.* (N. E. A.)

50 *Almas tributáveis.* (N. E. A.)

51 *Imposto* por cabeça. (N. E. A.)

52 Obrigações estatais do zemstvo. (N. E. A.)

53 *Tributo de arrendamento da terra.* (N. E. A.)

54 Tributo das almas. (N. E. A.)

55 Pequenos burgueses. (N. E. A.)

56 Pequenos burgueses. (N. E. A.)

57 Imposto. (N. E. A.)

58 Tributáveis. (N. E. A.)

Além disso, acima de *1.208 milhões de dívida flutuante** *(= 4.833 milhões fr.**).*

Em *1867*, incidiram 111 milhões em tributos diretos sobre as classes diretamente tributáveis; além disso, incidente sobre as *meras almas* (*подушн[ая] подать* [*poduchnaia podat'*][59], *госу[дарственный] земск[ий] сбор* [*gosudarstvennyi zemskii sbor*][60] e *общественный сбор* [*obchtchestvennyi sbor*][61] sobre os camponeses da Coroa), acima de 62 milhões de rublos. A isso não se soma, dentro de governos onde o órgão земск[ая] [*zemskaia*][62] não foi introduzido, nem os fundos de aquisição, nem o губернс[кий] [*gubernskii*] e уезд[ный] земск[ий] сбор [*uezdnyi zemskii sbor*][63], nem o *особый сбор* на содержание миров[ых] по *крес[тьянским] делам учреждений* [*osobyi sbor na soderjanie mirovykh po krest''ianskim delam utchrejdenii*][64].

(Скалдин [*Skaldin*].*)*

Segundo Janson (professor da Universidade Imp. de S. Petersb.) ("Опыть" [*Opyt'*]*** etc. *1877)*, os camponeses pagam em tributos diretos: *176 milhões de rublos:* ⟨a saber⟩

63,6 milhões em imposto das almas, обществен[ного] [obchtchestvennogo] e *госу[дарственного] земск[ого] сборов* [*gosudarstvennogo zemskogo sborov*][65],

---

* "Designam-se como dívidas flutuantes todas as obrigações de curto prazo que são assumidas pelos entes públicos regionais para cobrir uma carência momentânea de liquidez." Ver: <https://www.haushaltssteuerung.de/lexikon-schulden-schwebende.html>, acesso em 23 ago. 2019. (N. T.)

** Segundo a "Lista de pesos, medidas e moedas" presente na MEW 19 (p. 672-3), "fr." denota "franco". (N. T.)

59 *Tributo das almas.* (N. E. A.)

60 *Imposto estatal do zemstvo.* (N. E. A.)

61 *Imposto público.* (N. E. A.)

62 Zemstvo. (N. E. A.)

63 Imposto do governo e do zemstvo regional. (N. E. A.)

64 *Imposto especial* para a manutenção das Cortes de Paz para *assuntos campesinos.* (N. E. A.)

*** Referência ao livro de Janson, *Opyt statistitscheskawo issledowanija o krestjanskich nadelach i plateshach* [Tentativa de uma investigação estatística sobre os lotes e os impostos camponeses]. (N. T.)

65 *Impostos públicos e estatais dos zemstvos.* (N. E. A.)

37,5 milhões em оброчной подати [*obrotchnoi podati*][66]
acima de *7 milhões em* губернс[ких] [*gubernskikh*] е уездных сборов [*uezdnykh sborov*][67],
acima de *3 milhões* em сборов [*sborov*][68] locais dentro de governos onde o Положение [*Polojenie*][69] não foi introduzido,
acima de *39 milhões* em fundos de resgate; *incluídos os tributos em espécie.*

Impostos indiretos quase completamente adicionados *sobre a bebida e o sal* (180 milhões) e оброки бывших помещ[ичьих] крес[тьян] [*obroki byvchihk pomechtchitch'ikh krest'ian*][70] – acima de 25 milhões.

Juntos, acima de *372 milhões,* acima de 56% do orçamento imperial.
Encontra-se em
Mãos do Estado: .... 151.684.185 deciatinas
(= *165.335.763* hectares)
Camponeses: .... 120.628.246 deciatinas
(= 131.484.744 hectares)
⟨*Proprietários de terra*⟩*:* 100.000.000 deciatinas
(= 109.000.000 hectares)
Apanágio: .... *7.528.212 deciatinas*
ou 8.205.859 hectares

1. *Os camponeses da Coroa*
(sem Arcangel e províncias
do Mar Báltico): .... *9.194.891 almas*
– 77.297.029 deciatinas
2. *Camponeses de apanágio*: ...... *862.740 almas*
– 4.336.454 deciatinas
3. *Antigos servos privados* ...... *35.149.048 deciatinas*
para *todas as variedades dos mesmos.*

Até *1º de janeiro de 1878*, adquiridas *4.898.073* almas (74,6% de todos os пом[ещичьих] крест[ьян] [*pomechtchitch'ikh krest'ian*][71]) e *17.109.239*

---

[66] *Tributo de arrendamento da terra.* (N. E. A.)

[67] Impostos governamentais e regionais. (N. E. A.)

[68] Impostos. (N. E. A.)

[69] Decreto. (N. E. A.)

[70] Arrendamento dos antigos camponeses dos senhores de terra. (N. E. A.)

[71] Camponeses dos senhores de terra. (N. E. A.)

deciatinas com *ajuda* ⟨*governamental*⟩ em 37 governos (menos os 9 ocidentais, Bessarábia e 3 províncias do Mar Báltico).

Por *demanda dos* ⟨*proprietários de terra*⟩, em todos os governos sem chernossolo, onde o valor da aquisição está *bem acima do valor real* do solo. Em *governos totalmente providos de chernossolo,* mediante *acordo dos camponeses* ⟨*com*⟩ *os* ⟨*proprietários de terra*⟩.

Para 3. – parte *obrok*[72], parte *corvée*[73].

4. *Agregados por tempo.* (*Janeiro de 1878* = *1.882.696* almas com *6.657.919* deciatinas em lote de almas.)

Ministério da Coroa (1º de abril de 1870) conta: 5.830.005 antigos [camponeses] помещ[ичьих] [*pomechtchitch'ikh*][74] adquiridos, 20.123.940 *deciatinas.*

Dívida do Estado

Dívida do Estado em 1867 = 1.219.443.000 rublos.

Desde *1862* foi acrescida [em]	*461.160.000*
	758.283.000 foi,
	portanto, a última soma em 1862.
Dívida do Estado em 1869:	*1.907,5 milhões de rublos*
" " " " 1878:	*3.474* " "

Vantagens do ⟨*governo*⟩ devidas à emancipação:

1. *Transferência da dívida aos bancos que estão sob a garantia do* ⟨*governo*⟩ (mais tarde tudo se dissolve no banco estatal), ao *governo,* a quem os camponeses devem pagar os juros.

2. Nos trabalhos da *Comissão de Redação* (*Skrebizki*: carta de Rostovzev ao imperador: "Правительство [*Pravitel'stvo*][75] recebe muitos candidatos para as mais altas posições, tanto da administração provincial, como da central").

---

72 Arrendamento da terra. (N. E. A.)

73 Corveia. (N. E. A.)

74 [Camponeses] dos proprietários de terra. (N. E. A.)

75 Governo. (N. E. A.)

3. Cobrança direta de impostos dos camponeses (antes *os помe[щики] [pomechtchiki]*[76] *eram responsáveis por isso*) e, assim, grande flexibilização para a *elevação do imposto.*

4. Ruptura da esfera de poder da nobreza agrária.

5. *Área de conscrição* (e reforma geral do Exército) é, com isso, expandida.

6. As chamadas *instituições земск[ие] [zemskie]*[77] estão ligadas à emancipação: O fardo do Estado é jogado, em grande parte, sobre as costas das províncias e dos distritos (sem diminuição, mas sim elevação dos impostos diretos do Estado).

Segundo as ⟨constatações presentes no tomo 22 das publicações oficiais da "Comissão de Investigação para Tributação Direta" e, também, segundo os *livros azuis* publicados pela "Comissão de Agricultura", percebemos⟩:

1. *Os ⟨camponeses do Estado e os camponeses da família imperial⟩* (camponeses de apanágio) ⟨pagaram, em 37 governos (excluídos aqui os governos ocidentais), 92,75% do assim chamado *rendimento líquido,* tanto que restou a eles, para todas as suas demais carências, para si mesmos, apenas 7,25% de seu rendimento agrário.

2. *Os antigos servos da nobreza proprietária de terra* pagaram *198,25%* do seu rendimento agrário, tanto que eles entregam ao governo não apenas todo o seu rendimento do campo, mas também precisam pagar um montante praticamente igual a partir dos ordenados (salários) que recebem por diversas ocupações, agrárias *e de outra espécie.*⟩

---

[76] *Proprietários de terra.* (N. E. A.)

[77] Zemstvos. (N. E. A.)

Orçamento de	*1862*: *292.000.000 de rublos*
	1878: 626,9 milhões de rublos

Imposto das almas em 1852 por volta de 18½ milhões de rublos. *Em 1855, ele caiu abaixo dos 15 milhões de rublos por conta da Guerra da Crimeia. Em 1862,* ele alcançou *os 28½ milhões. Em 1867,* 40½ milhões por meio de arrocho fiscal. Agora, acima de 94 ½ milhões.

⟨A partir de uma publicação do Ministério dos Domínios Estatais vemos que, por exemplo, de *1871 até 1878,* a despeito das grandes alterações nos rendimentos dos cereais de ano a ano, a produção, tomada pelas médias, *estagnou absolutamente.* (Nisso, elevou-se a exportação de cereais na mais alta escala, apenas um tanto interrompida pela fome que surgia aproximadamente uma vez a cada 5 anos, e enfim coibida pela fome do ano de 1880.)

Ao mesmo tempo, a *exportação de cereais de 1877-1878* se elevou cerca de 86% em comparação à *exportação de cereais de 1871-1872. O que os europeus ocidentais viram foi o monstruoso aumento da exportação de cereais pelo* desenvolvimento da malha ferroviária; o que eles não viram foi o fato de que essa exportação *foi compensada* pela contração dos *períodos de fome* frequentemente recorrentes, os quais ocorrem agora a cada 5 anos e alcançaram seu ponto alto em 1880.⟩

Status dos ⟨camponeses emancipados

Após ter estabelecido que a situação econômica dos camponeses dentro da *zona de chernossolo* (dentro da sua parte do sistema de três campos, não da *região das estepes*) em geral "é pior do que se eles estivessem sob o regime de servidão", *Janson* conclui acerca das *publicações oficiais* sobre a produção de gado (do mesmo modo dentro da zona de chernossolo) o que segue:

No governo de *Cazã,* a população de gado⟩ (entre os ⟨antigos servos, que antes podiam conduzir o seu gado até os pastos de seus senhores) reduziu consideravelmente; os motivos para a diminuição: falta de área de pastagem, venda do gado para poder pagar os impostos, colheita diminuta. No governo de *Simbirsk,* a população de gado diminuiu um tanto; os camponeses mais ricos vendem o gado de que não precisam incondicionalmente em ocasiões mais favoráveis, a fim de não serem obrigados a vendê-lo por conta dos atrasos com o fisco, pelos quais eles respondem (responsabilidade coletiva)* devido à solidariedade geral da comuna (da sua maioria concomitantemente ou de toda ela em comum). Outra causa: a segmentação da área de pastagem do надел [*nadel*], principalmente dos lotes de florestas. O mesmo no governo de *Samara, Saratov, Penza*⟩ (onde também os cavalos minguam); ⟨no (governo) *Riazan*, redução do gado em 50% por falta de pasto. *No governo de Tula*, pelo mesmo motivo, venda forçada por causa dos coletores de imposto e da doença de gado, a criação de cavalos e gado diminui. No governo de *Kursk*, a mesma venda impiedosa de gado por conta dos atrasos fiscais, por falta de pastos, repartição dentro da família etc. (veja p. 75).

Zona sem chernossolo (governos do norte). Um exemplo bastará.

No governo de Novgorod, segundo a avaliação feita pelos zemstvos, a relação entre os pagamentos e as receitas por deciatina é, *para os então camponeses do Estado*, de 100% (i.e., o rendimento total);

os então camponeses de apanágio – *161%*
os então servos dos proprietários de terra – *180%*
os agregados por tempo⟩ *–* *210%*
além disso, ⟨aqueles com pequenos pedaços de terra⟩ e ⟨com elevados impostos
para os antigos servos resgatados – *275%;*
para os agregados por tempo – *565%.*

(Publicação da "Comissão Fiscal", tomo 22.)

Na maioria das vezes, seus lotes de terra não são suficientes⟩ – na ⟨circunscrição sem chernossolo – para mera alimentação dos camponeses. Esses governos do norte são, ao mesmo tempo, os industriais, mas

---

* "*Responsabilidade coletiva* – os camponeses de cada comuna de vilarejo eram coletivamente responsáveis por fazer os pagamentos em tempo e de modo completo e pelo cumprimento de toda sorte de serviços ao Estado e aos senhores de terra (pagamento de tributos e de prestações do resgate da terra, fornecimento de recrutas para o exército etc.). Essa forma de sujeição, que foi preservada mesmo após a servidão ser abolida na Rússia, foi eliminada apenas em 1906"; Vladímir Ilitch Lênin, *The Development of Capitalism in Russia*, cit., p. 646, nota 59 [ed. bras.: *O desenvolvimento do capitalismo na Rússia*, cit.]. (N. T.)

seus salários locais de indústria não são suficientes para compensar o déficit {mesmo mediante o trabalho agrário entre os proprietários de terra}[78]; eles precisam buscar trabalho assalariado bem longe de seus próprios locais de residência, no sul, na Nova Rússia, no lado de lá do Ural, na Sibéria e na Ásia Central.⟩

(*1 deciatina* = *1,092 hectare*
1 pud = 40 libras russas = 16,38 quilogramas.
1 chetvert = 209,901 litros ou 0,72 quarters* ingleses.)

[IV]
⟨*Rússia*⟩

I. *Receitas do Estado e dispêndios de 1877.*
Receitas = *548* milhões ⟨de rublos⟩
Desses: *117* milhões ⟨em *impostos diretos* pagos pelos camponeses⟩.

Principais impostos indiretos	*189.676.000 milhões ⟨em impostos indiretos⟩ [imposto sobre venda de bebidas], na maioria das vezes recai de volta sobre os ⟨camponeses⟩.* *10 milhões ⟨em impostos indiretos⟩ [imposto sobre o sal], ditto.* *52 ⟨milhões⟩ para as ⟨aduanas⟩.*

Dispêndio = 585 ⟨milhões (déficit = 37 milhões) ⟩
Desses: 115 milhões para ⟨juros e amortização da dívida estatal⟩.
220 milhões para guerra e Marinha.
86 milhões para o ⟨Ministério das Finanças⟩.

---

421 milhões – Principais dispêndios do Estado.

---

[78] As chaves estão no lugar dos colchetes utilizados por Marx. (N. E. A.)

* Segundo a "Lista de pesos, medidas e moedas" presente na MEW 19 (p. 672-3), *quarter* é uma medida inglesa de capacidade e equivale a algo em torno de 291 litros. (N. T.)

Além disso, os ⟨*dispêndios extraordinários causados pela guerra*⟩.

O orçamento de *1864* era: *354.600.000* rublos: ⟨*Desse modo, os impostos foram aumentados em 55% desde 1864.*⟩

II. ⟨*Orçamento do fundo ferroviário* que está contido no orçamento estatal.⟩ – Atualmente, as ferrovias são patrimônio privado; as ferrovias estatais são transformadas em propriedade das sociedades privadas, mas essas sociedades não proveram os meios de sua construção.

⟨O governo retém⟩ para ⟨sua⟩ conta uma parte do capital em *ações e obrigações* e, para as realizar, emite as ⟨*obrigações consolidadas das ferrovias russas*>. As somas que ele daí obtém formam os ⟨*"fundos ferroviários"*⟩ e, *a partir desses fundos,* ⟨o governo⟩ *paga pelas ações e obrigações que reteve consigo,* e faz, além disso, *adiantamentos* ⟨*sobre os papéis da ferrovia.*

Em 1º de janeiro de 1878⟩ houve ⟨emissão de ações da ferrovia e de obrigações⟩ por *1.388 milhão,* do que o governo reteve para sua conta *720 milhões* e, para as ⟨obrigações da *Ferrovia Nikolaus Petersburgo-Moscou*⟩, *577 milhões fr.* ou 144.433.000 ⟨rublos metálicos⟩, i.e. 52% do capital total, ⟨excetuados os papéis sobre os quais o governo deu adiantamentos⟩.

A partir do ⟨fundo ferroviário⟩, o governo pagou: *1877...* 80 milhões, mas a *soma total* paga pelo governo até 1º de janeiro de 1878 = *554.475.000* ⟨rublos e⟩, para as ⟨*obrigações da Ferrovia Nikolaus*⟩, 577 milhões fr.

Para cobrir esses pagamentos, ⟨o *governo* emitiu *cinco debêntures consolidadas das ferrovias russas*⟩ pela soma de *69 milhões* de libras esterlinas, ⟨cuja realização resultou em *385 milhões de rublos metálicos; duas debêntures da Ferrovia Nikolaus* pela soma de⟩ 577 *milhões fr.*; e finalmente ⟨*a debênture interna com prêmios em 1866,* cuja⟩ realização deu *107.650.000.*

Além desses subsídios, há ainda a *garantia.* ⟨*Em 1877, a soma da garantia paga* pelo governo *foi*⟩ = 16.617.000. O ⟨fisco⟩ forneceu essa soma, assim como os ⟨*juros e amortização das obrigações ferroviárias*⟩. A última soma em 1877 = 324.800.000 rublos.

Portanto, total dado por meio do Estado para a ⟨ferrovia⟩: 139.034.000.

O ⟨*fundo ferroviário*⟩ *adiantou 60 milhões a mais do que recebeu.*

O ⟨*fisco*⟩ – 37.800.000 a mais do que recebeu.

As ⟨*dívidas da ferrovia no fisco*⟩ aumentaram em *39.500.000 etc.*

Em janeiro de 1878, todas as ⟨*dívidas*⟩ no ⟨*fisco*⟩ somaram *469.900.000* rublos. *As* ⟨*dívidas dos camponeses*⟩ = *32,5 milhões* = 6,9%.

As ⟨*dívidas da ferrovia*⟩ = *315.500.000* = 67% ou *57%* ⟨*de todos os rendimentos do Estado*⟩.

III. *Bancos*. Além do ⟨governo⟩, a ⟨*ferrovia é fomentada*⟩ *por meio dos* ⟨*bancos*⟩.

Até 1864, havia apenas ⟨*institutos estatais de crédito*⟩.

Em 1864, o primeiro ⟨instituto *privado de crédito*⟩; desde quando aumentaram rapidamente, ⟨*eles atraíram somas consideráveis às contas correntes que rendiam juros por prazo fixo e variável*. Precisava-se adiantar essas somas:⟩ aí *apareceram as* ⟨*sociedades acionárias*⟩; *à frente de todas essas* ⟨*sociedades*⟩, *a das* ⟨*ferrovias*⟩.

O capital de todas as ações (das sociedades) e obrigações ⟨*por volta de*⟩ *1877* = *2.043 milhões* ⟨*de rublos*⟩.

Disso, as ⟨*ferrovias*⟩ *são 67,91%* = *1.388 milhão de rublos.*

⟨*Até 1864, o banco estatal e as filiais adiantaram 18,6 milhões aos fundos públicos, ações e obrigações. Até*⟩ *1877*, todos os ⟨bancos adiantaram *360 milhões* aos *fundos públicos, ações e obrigações*, o que significa uma elevação de 2.007%.⟩

Não se pode ver, a partir ⟨dos relatórios bancários⟩, o quanto desses ⟨adiantamentos⟩ se destina à ⟨ferrovia⟩. No entanto, Danielson conhece casos em que *uma parte* ⟨*dos papéis* de uma *sociedade ferroviária*⟩ pertencia ⟨ao governo⟩, enquanto uma *sociedade creditícia privada fazia seus* ⟨*adiantamentos*⟩ *pelo resto das ações*.

De fato, ocorreu que os ⟨*empreendimentos ferroviários*⟩ cuja *remuneração não fosse garantida pelo governo não rendiam nenhum lucro*. Nesse caso, *o banco estatal* sai *em ajuda aos bancos privados* ⟨onde essas ações são depositadas, *concedendo adiantamentos ou adquirindo essas ações*⟩.

O ⟨*banco estatal*⟩ nunca está ⟨*desprovido de meios*; o fisco⟩, por exemplo, empresta do banco sem se preocupar com seu dinheiro em caixa; o banco, de sua parte, ⟨*eleva a mais produtiva fabricação do mundo*. As *notas de crédito* que foram emitidas desse modo figuram no balanço do banco sob o n. 18 (*balanço* de 1º de janeiro de *1879* = 467.850.000; somam-se a isso as *notas de crédito que* figuram *no* balanço sob o n. 1⟩ = *720.265.000*;

assim, a soma total dessas ⟨*notas de crédito encontradas em circulação*⟩ = *1.188.000.000 de rublos*).

IV. *Rendimento das ferrovias.*

Para o *ano de 1877* ainda não foi publicada nenhuma estatística completa das ferrovias. Nos anos precedentes, ⟨o *rendimento total*⟩ foi continuamente crescente;

foi: *1865* *24 milhões,*
1877 *190 milhões,*
1878 *220 milhões (estimado)*, de modo que ⟨o *rendimento total de cada versta** *se elevou* em 17%, enquanto o *rendimento líquido de cada versta* diminuiu⟩.

Contudo, o *rendimento líquido dos últimos anos* somou *48-52 milhões* anualmente; i.e., se todo o rendimento ⟨das ferrovias refluísse ao fisco, *o déficit das ferrovias teria diminuído consideravelmente*⟩. Mas *todo o lucro* ⟨*flui para as pessoas privadas*⟩ *e todo o fardo do déficit cai sobre o* ⟨*fisco*⟩.

Qual lucro tem, portanto, ⟨o governo⟩ a partir desses enormes dispêndios?

Eles têm como resultado um desenvolvimento considerável do comércio, para o que colaboravam, ao mesmo tempo, os ⟨*bancos de crédito*⟩ e ⟨os *bancos de hipoteca*⟩ fundados nessa mesma época.

V. *Bancos; classes comerciais (exportação de* ⟨*cereais*⟩ *etc.).*

Todos os *depósitos (a juros)* e *contas correntes* do *banco estatal e de suas filiais em 1864 – 262 milhões de rublos,*

dos quais *42 milhões* empregados para o *lucro do comércio*, a saber:

[*23 milhões* para *letra de câmbio*
18 milhões para ⟨*adiantamentos sobre papéis estatais, ações, obrigações etc.*⟩]

* Segundo a "Lista de pesos, medidas e moedas" presente na MEW 19 (p. 672-3), *versta* é uma antiga medida russa de distância e equivale a 1.066,78 metros. (N. T.)

1877: 723,8 milhões em todas as instituições de crédito, *aumento* de *175%*.
Disso: *360 milhões para ⟨adiantamentos⟩ sobre ⟨ações⟩, obrigações, ⟨fundos públicos⟩,*
Em favor de: *489 milhões* para *⟨desconto⟩ de letras de câmbio,* aumento de *1.900%*.

O *ramo comercial mais importante: comércio de cereais;* seu desenvolvimento mais acelerado.

*1864 … 9,25 milhões de chetvert** exportados para a Europa por *54,7 milhões de rublos.*

⟨Valor⟩ de todas as mercadorias exportadas = 164,9 milhões de rublos
⟨Valor do cereal exportado⟩ = cerca de *33% de toda a exportação.*

1877 … 30,5 milhões de chetvert exportados = *264 milhões de rublos*
⟨Valor de todas as mercadorias exportadas⟩ = 508 milhões de rublos
⟨Valor do cereal⟩ = *51,8% de toda a exportação.*
⟨Valor do cereal aumentou em 382%.
O número de chetvert, em 241%.⟩

⟨Ao mesmo tempo⟩, o *⟨valor do cereal⟩* ultrapassou o *valor da exportação total de 1864 em 100 milhões de rublos.*

*Em 1869, as ferrovias transportaram 149 milhões de pud*** *de cereal = 33,4% de todos os seus fretes.*

Em 1877.... 547,8 milhões de pud ⟨de cereal⟩ = 41,28% ⟨de todos os fretes⟩.

Principal artigo de exportação além do ⟨cereal⟩:

		Rublos		*Rublos*	*Aumento em %*
1864	*⟨gado por*	*1.821.000*	*1877 por*	*15.724.000*	*763%*
	linho por	*15.985.000*		*67.690.000*	*323%*
	cânhamo⟩ por	*8.993.000*		*16.820.000*	*87%*

* Segundo a "Lista de pesos, medidas e moedas" presente na MEW 19 (p. 672-3), *chetvert* é uma antiga medida russa de capacidade e equivale a 209,91 litros, algo que Marx já registrou anteriormente neste rascunho. (N. T.)

** Ainda de acordo com a mesma "Lista" e conforme já assinalado por Marx, o *pud* é uma medida de peso e equivale a 16,38 quilogramas. (N. T.)

⟨*Algodão*⟩ *importado* [em 1864] 21.824.000 rublos;
⟨*Algodão*⟩ *importado* [em 1877] *35.500.000 [rublos]* 62%

VI. ⟨*Instituições de crédito hipotecário.*⟩

Em 1864, as ⟨dívidas dentro dos antigos institutos de crédito hipotecário⟩ estavam em *395,5 milhões de rublos*

parte considerável dos quais recaiu sobre os camponeses para o ⟨*resgate de lotes de terra*⟩.

⟨*Dívidas hipotecárias dos proprietários russos*
(Polônia⟩ e províncias do Mar Báltico)

a) ⟨*Dívidas hipotecárias dentro dos antigos institutos de crédito*⟩ *até 1874*	99.614.000
b) *As* ⟨*sociedades de crédito hipotecário emprestaram até 1874*	102.692.000
c) *os bancos hipotecários*⟩	63.668.000
d) *os* ⟨*bancos de crédito baseados em mutualidade*⟩ *(?)*	7.182.000
	273.156.000

Ao contrário, em 1877, os mesmos institutos

sub	a) 73.393.000	Consequentemente, no correr de 3 anos, foram acrescentados às dívidas (excluídos os camponeses): 34%.
	b) 163.505.000	
	c) 118.322.000	
	d) 11.250.000	
	366.470.000 rublos	

VII. Tomemos, agora, todos os institutos de crédito (e ferrovias) e vejamos qual soma eles aumentaram e como ela foi agrupada por volta de 1877:

	1. ⟨*Capital de fundação* *Rublos*	%	2. *Depósitos a juros etc.*	3. *Títulos garantidos das sociedades de crédito hipotecário*	4. *Obrigações*
Institutos de crédito	167.778.800	18,8	723.790.000		
Institutos de hipoteca até 1878	27.753.000	5,6	6.848.000	460.000.000	
Ferrovias até 1878	474.185.000	34,3			
	669.726.000	25,0			915.706.000⟩

[D[anielson] soma *as dívidas das várias sociedades* sub 2, 3 e 4 = *2.006.440.000 rublos; perfaz, contudo, 2.106.344.000.*]

Para as ⟨*obrigações de capital dos institutos de crédito em comparação ao capital*⟩ = 81,2%
para os ⟨*institutos de hipoteca* = 94,4%
Ferrovias⟩ = 65,97%

Escrito entre o fim de 1881 e 1882.
Conforme o manuscrito

ÍNDICE ONOMÁSTICO

HAXTHAUSEN, August Franz von (1792-1866) – agrônomo, economista, jurista e escritor alemão. Autor de importantes estudos sobre a constituição agrária e a emancipação dos camponeses na Rússia. 97n, 100n

HEGEL, Georg Wilhelm Friedrich (1770-1831) – filósofo e professor na Universidade de Berlim; destacada figura do idealismo alemão, elaborou um sistema filosófico em que a consciência não é apenas consciência do objeto, mas também consciência de si. *A fenomenologia do espírito* descreve a marcha do pensamento até seu próprio objeto, que no final é o próprio espírito, na medida em que venha a absorver completamente o pensado. O espiritual são as formas de ser das entificações. A ciência da Ideia Absoluta procede de modo dialético: trata-se de um processo de sucessivas afirmações e negações que conduz da certeza sensível ao dito saber absoluto. A dialética não é um simples método de pensar; é a forma em que se manifesta a própria realidade, ou seja, é a própria realidade que alcança sua verdade em seu completo autodesenvolvimento. A Ideia é uma noção central no sistema hegeliano, o qual aspira a ser o sistema da verdade como um todo e, portanto, o sistema da realidade no processo de pensar a si mesma. 30, 33-4, 94, 95n

HERZEN, Alexander Ivanovitch (1812-1870) – pensador e escritor do movimento revolucionário pré-marxista na Rússia, defendia a ideia da comuna agrária e fundou em Londres, durante seu exílio, a casa tipográfica Вольная Русскя Типография [Imprensa Livre Russa]. 89, 90n

JANSON, Iuli Éduardovitch (1835-1893) – estatístico e economista russo progressista, professor na Universidade de Petersburgo, conduziu desde 1881 a divisão estatística da administração municipal de Petersburgo; escreveu trabalhos sobre teoria e história da estatística. 105-6, 108-10, 114, 118

JHERING, Rudolf von (1818-1892) – jurista alemão cuja obra influenciou o direito em vários países do Ocidente. 72, 75

LANGE, Friedrich (1852-1917) – jornalista alemão e ativista político do movimento popular do império guilhermino. Suas ideias, que misturavam antissemitismo com outras questões econômicas e sociais, forneceram elementos para grupos posteriores. 11n

LANGE, Friedrich Albert (1828-1875) – filósofo e socialista neokantiano, autor de um livro reformista sobre a questão trabalhista e uma história do materialismo. Exerceu grande influência sobre reformistas tanto entre os acadêmicos, como o sociólogo Albert Schäffle (1831-1903), quanto entre líderes políticos, como Karl Höchberg. 37

LANSKOI, Serguei Stepanovitch (1787-1862) – estadista russo, ministro do Interior (1855-1861); participou da abolição da servidão de 1861. 101-2

da Associação Internacional dos Trabalhadores (ou Primeira Internacional) e ajudou a organizar a primeira seção russa da Primeira Internacional. Em meados da década de 1870, abandonou a ação política e voltou à Rússia. 98n

VLEUGELS, Wilhelm (1893-1942) – economista e sociólogo alemão, simpatizante do nazismo, estudioso do fenômeno das massas. 12

WAGNER, Adolph (1835-1917) – economista e político alemão ligado aos "socialistas de cátedra", um projeto nacionalista que buscava se apresentar como alternativa ao comunismo revolucionário internacionalista. Dedicou-se aos estudos das finanças públicas e era defensor de um modelo agrarianista para enfrentar a questão social na Alemanha, isto é, uma defesa da propriedade rural como forma de combater os problemas sociais causados pelo aumento do proletariado. 7-15, 17-9, 21-2, 29, 37-49, 51-7, 59-63, 66, 69-72, 74-6, 79-80, 96

WEYDEMEYER, Joseph (1816-1866) – personalidade do movimento operário norte-americano e alemão. Membro da Liga dos Comunistas, participou da revolução de 1848 na Alemanha e da guerra civil dos Estados Unidos, ao lado dos nortistas. Nesse país, foi precursor da propagação do marxismo. Era amigo e colaborador de Marx e Engels. 34

ZASULITCH [Vera Ivanovna Zasulitch] (1849-1919) – revolucionária desde 1868. Originalmente *narodnik*, tornou-se marxista e foi uma das fundadoras do grupo Emancipação do Trabalho (1883). Correspondente de Marx e Engels. A partir de 1900, integrante da redação do jornal *Iskra* [A Centelha] e da revista *Zaria* [Aurora], publicações clandestinas do POSDR idealizadas por Lênin. A partir da cisão de 1903, ficou com os mencheviques. 87-8

CRONOLOGIA RESUMIDA DE MARX E ENGELS

	Karl Marx	Friedrich Engels	Fatos históricos
1818	Em Trier (capital da província alemã do Reno), nasce Karl Marx (5 de maio), o segundo de oito filhos de Heinrich Marx e Enriqueta Pressburg. Trier na época era influenciada pelo liberalismo revolucionário francês e pela reação ao Antigo Regime, vinda da Prússia.		Simón Bolívar declara a Venezuela independente da Espanha.
1820		Nasce Friedrich Engels (28 de novembro), primeiro dos oito filhos de Friedrich Engels e Elizabeth Franziska Mauritia van Haar, em Barmen, Alemanha. Cresce no seio de uma família de industriais religiosa e conservadora.	George IV se torna rei da Inglaterra, pondo fim à Regência. Insurreição constitucionalista em Portugal.
1824	O pai de Marx, nascido Hirschel, advogado e conselheiro de Justiça, é obrigado a abandonar o judaísmo por motivos profissionais e políticos (os judeus estavam proibidos de ocupar cargos públicos na Renânia). Marx entra para o Ginásio de Trier (outubro).		Simón Bolívar se torna chefe do Executivo do Peru.
1830	Inicia seus estudos no Liceu Friedrich Wilhelm, em Trier.		Estouram revoluções em diversos países europeus. A população de Paris insurge-se contra a promulgação de leis que dissolvem a Câmara e suprimem a liberdade de imprensa. Luís Filipe assume o poder.
1831			Em 14 de novembro, morre Hegel.

	Karl Marx	Friedrich Engels	Fatos históricos
1834		Engels ingressa, em outubro, no Ginásio de Elberfeld.	A escravidão é abolida no Império Britânico. Insurreição operária em Lyon.
1835	Escreve *Reflexões de um jovem perante a escolha de sua profissão.* Presta exame final de bacharelado em Trier (24 de setembro). Inscreve-se na Universidade de Bonn.		Revolução Farroupilha, no Brasil. O Congresso alemão faz moção contra o movimento de escritores Jovem Alemanha.
1836	Estuda Direito na Universidade de Bonn. Participa do Clube de Poetas e de associações estudantis. No verão, fica noivo em segredo de Jenny von Westphalen, sua vizinha em Trier. Em razão da oposição entre as famílias, casar-se-iam apenas sete anos depois. Matricula-se na Universidade de Berlim.	Na juventude, fica impressionado com a miséria em que vivem os trabalhadores das fábricas de sua família. Escreve *Poema.*	Fracassa o golpe de Luís Napoleão em Estrasburgo. Criação da Liga dos Justos.
1837	Transfere-se para a Universidade de Berlim e estuda com mestres como Gans e Savigny. Escreve *Canções selvagens* e *Transformações.* Em carta ao pai, descreve sua relação contraditória com o hegelianismo, doutrina predominante na época.	Por insistência do pai, Engels deixa o ginásio e começa a trabalhar nos negócios da família. Escreve *História de um pirata.*	A rainha Vitória assume o trono na Inglaterra.
1838	Entra para o Clube dos Doutores, encabeçado por Bruno Bauer. Perde o interesse pelo Direito e entrega-se com paixão ao estudo da Filosofia, o que lhe compromete a saúde. Morre seu pai.	Estuda comércio em Bremen. Começa a escrever ensaios literários e sociopolíticos, poemas e panfletos filosóficos em periódicos como o *Hamburg Journal* e o *Telegraph für Deutschland,* entre eles o poema "O beduíno" (setembro), sobre o espírito da liberdade.	Richard Cobden funda a Anti-Corn-Law-League, na Inglaterra. Proclamação da Carta do Povo, que originou o cartismo.
1839		Escreve o primeiro trabalho de envergadura, *Briefe aus dem Wupperthal* [Cartas de Wupperthal], sobre a vida operária em Barmen e na vizinha Elberfeld (*Telegraph für Deutschland,* primavera). Outros viriam, como *Literatura popular alemã, Karl Beck* e *Memorabilia de Immermann.* Estuda a filosofia de Hegel.	Feuerbach publica *Zur Kritik der Hegelschen Philosophie* [Crítica da filosofia hegeliana]. Primeira proibição do trabalho de menores na Prússia. Auguste Blanqui lidera o frustrado levante de maio, na França.
1840	K. F. Koeppen dedica a Marx seu estudo *Friedrich der Grosse und seine Widersacher* [Frederico, o Grande, e seus adversários].	Engels publica *Réquiem para o Aldeszeitung alemão* (abril), *Vida literária moderna,* no *Mitternachtzeitung* (março-maio) e *Cidade natal de Siegfried* (dezembro).	Proudhon publica *O que é a propriedade?* [Qu'est-ce que la propriété?].

	Karl Marx	Friedrich Engels	Fatos históricos
1841	Com uma tese sobre as diferenças entre as filosofias de Demócrito e Epicuro, Marx recebe em Iena o título de doutor em Filosofia (15 de abril). Volta a Trier. Bruno Bauer, acusado de ateísmo, é expulso da cátedra de Teologia da Universidade de Bonn e, com isso, Marx perde a oportunidade de atuar como docente nessa universidade.	Publica *Ernst Moritz Arndt*. Seu pai o obriga a deixar a escola de comércio para dirigir os negócios da família. Engels prosseguiria sozinho seus estudos de filosofia, religião, literatura e política. Presta o serviço militar em Berlim por um ano. Frequenta a Universidade de Berlim como ouvinte e conhece os jovens hegelianos. Critica intensamente o conservadorismo na figura de Schelling, com os escritos *Schelling em Hegel*, *Schelling e a revelação* e *Schelling, filósofo em Cristo*.	Feuerbach traz a público *A essência do cristianismo* [*Das Wesen des Christentums*]. Primeira lei trabalhista na França.
1842	Elabora seus primeiros trabalhos como publicista. Começa a colaborar com o jornal *Rheinische Zeitung* [Gazeta Renana], publicação da burguesia em Colônia, do qual mais tarde seria redator. Conhece Engels, que na ocasião visitava o jornal.	Em Manchester, assume a fiação do pai, a Ermen & Engels. Conhece Mary Burns, jovem trabalhadora irlandesa, que viveria com ele até a morte dela. Mary e a irmã Lizzie mostram a Engels as dificuldades da vida operária, e ele inicia estudos sobre os efeitos do capitalismo no operariado inglês. Publica artigos no *Rheinische Zeitung*, entre eles "Crítica às leis de imprensa prussianas" e "Centralização e liberdade".	Eugène Sue publica *Os mistérios de Paris*. Feuerbach publica *Vorläufige Thesen zur Reform der Philosophie* [Teses provisórias para uma reforma da filosofia]. O Ashley's Act proíbe o trabalho de menores e mulheres em minas na Inglaterra.
1843	Sob o regime prussiano, é fechado o *Rheinische Zeitung*. Marx casa-se com Jenny von Westphalen. Recusa convite do governo prussiano para ser redator no diário oficial. Passa a lua de mel em Kreuznach, onde se dedica ao estudo de diversos autores, com destaque para Hegel. Redige os manuscritos que viriam a ser conhecidos como *Crítica da filosofia do direito de Hegel* [*Zur Kritik der Hegelschen Rechtsphilosophie*]. Em outubro vai a Paris, onde Moses Hess e George Herwegh o apresentam às sociedades secretas socialistas e comunistas e às associações operárias alemãs. Conclui *Sobre a questão judaica* [*Zur Judenfrage*]. Substitui Arnold Ruge na direção dos *Deutsch-Französische Jahrbücher* [Anais Franco-Alemães]. Em dezembro inicia grande amizade com Heinrich Heine e conclui sua "Crítica da filosofia do direito de Hegel – Introdução" [Zur Kritik der Hegelschen Rechtsphilosophie – Einleitung].	Engels escreve, com Edgar Bauer, o poema satírico "Como a Bíblia escapa milagrosamente a um atentado impudente, ou o triunfo da fé", contra o obscurantismo religioso. O jornal *Schweuzerisher Republicaner* publica suas "Cartas de Londres". Em Bradford, conhece o poeta G. Weerth. Começa a escrever para a imprensa cartista. Mantém contato com a Liga dos Justos. Ao longo desse período, suas cartas à irmã favorita, Marie, revelam seu amor pela natureza e por música, livros, pintura, viagens, esporte, vinho, cerveja e tabaco.	Feuerbach publica *Grundsätze der Philosophie der Zukunft* [Princípios da filosofia do futuro].

	Karl Marx	**Friedrich Engels**	**Fatos históricos**
1844	Em colaboração com Arnold Ruge, elabora e publica o primeiro e único volume dos *Deutsch-Französische Jahrbücher*, no qual participa com dois artigos: "A questão judaica" e "Introdução a uma crítica da filosofia do direito de Hegel". Escreve os *Manuscritos econômico-filosóficos* [*Ökonomisch-philosophische Manuskripte*]. Colabora com o *Vorwärts!* [Avante!], órgão de imprensa dos operários alemães na emigração. Conhece a Liga dos Justos, fundada por Weitling. Amigo de Heine, Leroux, Blanqui, Proudhon e Bakunin, inicia em Paris estreita amizade com Engels. Nasce Jenny, primeira filha de Marx. Rompe com Ruge e desliga-se dos *Deutsch-Französische Jahrbücher*. O governo decreta a prisão de Marx, Ruge, Heine e Bernays pela colaboração nos *Deutsch-Französische Jahrbücher*. Encontra Engels em Paris e em dez dias planejam seu primeiro trabalho juntos, *A sagrada família* [*Die heilige Familie*]. Marx publica no *Vorwärts!* artigo sobre a greve na Silésia.	Em fevereiro, Engels publica *Esboço para uma crítica da economia política* [*Umrisse zu einer Kritik der Nationalökonomie*], texto que influenciou profundamente Marx. Segue à frente dos negócios do pai, escreve para os *Deutsch-Französische Jahrbücher* e colabora com o jornal *Vorwärts!*. Deixa Manchester. Em Paris, torna-se amigo de Marx, com quem desenvolve atividades militantes, o que os leva a criar laços cada vez mais profundos com as organizações de trabalhadores de Paris e Bruxelas. Vai para Barmen.	O Graham's Factory Act regula o horário de trabalho para menores e mulheres na Inglaterra. Fundado o primeiro sindicato operário na Alemanha. Insurreição de operários têxteis na Silésia e na Boêmia.
1845	Por causa do artigo sobre a greve na Silésia, a pedido do governo prussiano Marx é expulso da França, juntamente com Bakunin, Bürgers e Bornstedt. Muda-se para Bruxelas e, em colaboração com Engels, escreve e publica em Frankfurt *A sagrada família*. Ambos começam a escrever *A ideologia alemã* [*Die deutsche Ideologie*], e Marx elabora "As teses sobre Feuerbach" [*Thesen über Feuerbach*]. Em setembro, nasce Laura, segunda filha de Marx e Jenny. Em dezembro, ele renuncia à nacionalidade prussiana.	As observações de Engels sobre a classe trabalhadora de Manchester, feitas anos antes, formam a base de uma de suas obras principais, *A situação da classe trabalhadora na Inglaterra* [*Die Lage der arbeitenden Klasse in England*] (publicada primeiramente em alemão; a edição seria traduzida para o inglês 40 anos mais tarde). Em Barmen, organiza debates sobre as ideias comunistas com Hess e profere os *Discursos de Elberfeld*. Em abril sai de Barmen e encontra Marx em Bruxelas. Juntos, estudam economia e fazem uma breve visita a Manchester (julho e agosto), onde percorrem alguns jornais locais, como o *Manchester Guardian* e o *Volunteer Journal for Lancashire and Cheshire*. É lançada *A situação da classe trabalhadora na Inglaterra*, em Leipzig. Começa sua vida em comum com Mary Burns.	Criada a organização internacionalista Democratas Fraternais, em Londres. Richard M. Hoe registra a patente da primeira prensa rotativa moderna.
1846	Marx e Engels organizam em Bruxelas o primeiro Comitê de Correspondência da Liga dos Justos,	Seguindo instruções do Comitê de Bruxelas, Engels estabelece estreitos contatos com socialistas e	Os Estados Unidos declaram guerra ao México. Rebelião

	Karl Marx	Friedrich Engels	Fatos históricos
	uma rede de correspondentes comunistas em diversos países, a qual Proudhon se nega a integrar. Em carta a Annenkov, Marx critica o recém-publicado *Sistema das contradições econômicas ou Filosofia da miséria* [*Système des contradictions économiques ou Philosophie de la misère*], de Proudhon. Redige com Engels a *Zirkular gegen Kriege* [Circular contra Kriege], crítica a um alemão emigrado dono de um periódico socialista em Nova York. Por falta de editor, Marx e Engels desistem de publicar *A ideologia alemã* (a obra só seria publicada em 1932, na União Soviética). Em dezembro, nasce Edgar, o terceiro filho de Marx.	comunistas franceses. No outono, ele se desloca para Paris com a incumbência de estabelecer novos comitês de correspondência. Participa de um encontro de trabalhadores alemães em Paris, propagando ideias comunistas e discorrendo sobre a utopia de Proudhon e o socialismo real de Karl Grün.	polonesa em Cracóvia. Crise alimentar na Europa. Abolidas, na Inglaterra, as "leis dos cereais".
1847	Filia-se à Liga dos Justos, em seguida nomeada Liga dos Comunistas. Realiza-se o primeiro congresso da associação em Londres (junho), ocasião em que se encomenda a Marx e Engels um manifesto dos comunistas. Eles participam do congresso de trabalhadores alemães em Bruxelas e, juntos, fundam a Associação Operária Alemã de Bruxelas. Marx é eleito vice-presidente da Associação Democrática. Conclui e publica a edição francesa de *Miséria da filosofia* [*Misère de la philosophie*] (Bruxelas, julho).	Engels viaja a Londres e participa com Marx do I Congresso da Liga dos Justos. Publica *Princípios do comunismo* [*Grundsätze des Kommunismus*], uma "versão preliminar" do *Manifesto Comunista* [*Manifest der Kommunistischen Partei*]. Em Bruxelas, com Marx, participa da reunião da Associação Democrática, voltando em seguida a Paris para mais uma série de encontros. Depois de atividades em Londres, volta a Bruxelas e escreve, com Marx, o *Manifesto Comunista*.	A Polônia torna-se província russa. Guerra civil na Suíça. Realiza-se em Londres o II Congresso da Liga dos Comunistas (novembro).
1848	Marx discursa sobre o livre-cambismo numa das reuniões da Associação Democrática. Com Engels publica, em Londres (fevereiro), o *Manifesto Comunista*. O governo revolucionário francês, por meio de Ferdinand Flocon, convida Marx a morar em Paris após o governo belga expulsá-lo de Bruxelas. Redige com Engels "Reivindicações do Partido Comunista da Alemanha" [*Forderungen der Kommunistischen Partei in Deutschland*] e organiza o regresso dos membros alemães da Liga dos Comunistas à pátria. Com sua família e com Engels, muda-se em fins de maio para Colônia, onde ambos fundam o jornal *Neue Rheinische Zeitung* [Nova Gazeta Renana], cuja primeira edição é	Expulso da França por suas atividades políticas, chega a Bruxelas no fim de janeiro. Juntamente com Marx, toma parte na insurreição alemã, de cuja derrota falaria quatro anos depois em *Revolução e contrarrevolução na Alemanha* [*Revolution und Konterevolution in Deutschland*]. Engels exerce o cargo de editor do *Neue Rheinische Zeitung*, recém-criado por ele e Marx. Participa, em setembro, do Comitê de Segurança Pública criado para rechaçar a contrarrevolução, durante grande ato popular promovido pelo *Neue Rheinische Zeitung*. O periódico sofre suspensões, mas prossegue ativo. Procurado pela polícia, tenta se exilar na Bélgica, onde é preso e	Definida, na Inglaterra, a jornada de dez horas para menores e mulheres na indústria têxtil. Criada a Associação Operária, em Berlim. Fim da escravidão na Áustria. Abolição da escravidão nas colônias francesas. Barricadas em Paris: eclode a revolução; o rei Luís Filipe abdica e a República é proclamada. A revolução se alastra pela Europa. Em junho, Blanqui lidera novas insurreições

	Karl Marx	**Friedrich Engels**	**Fatos históricos**
	publicada em 1º de junho, com o subtítulo *Organ der Demokratie*. Marx começa a dirigir a Associação Operária de Colônia e acusa a burguesia alemã de traição. Proclama o terrorismo revolucionário como único meio de amenizar "as dores de parto" da nova sociedade. Conclama ao boicote fiscal e à resistência armada.	depois expulso. Muda-se para a Suíça.	operárias em Paris, brutalmente reprimidas pelo general Cavaignac. Decretado estado de sítio em Colônia em reação a protestos populares. O movimento revolucionário reflui.
1849	Marx e Engels são absolvidos em processo por participação nos distúrbios de Colônia (ataques a autoridades publicados no *Neue Rheinische Zeitung*). Ambos defendem a liberdade de imprensa na Alemanha. Marx é convidado a deixar o país, mas ainda publicaria *Trabalho assalariado e capital* [*Lohnarbeit und Kapital*]. O periódico, em difícil situação, é extinto (maio). Marx, em condição financeira precária (vende os próprios móveis para pagar as dívidas), tenta voltar a Paris, mas, impedido de ficar, é obrigado a deixar a cidade em 24 horas. Graças a uma campanha de arrecadação de fundos promovida por Ferdinand Lassalle na Alemanha, Marx se estabelece com a família em Londres, onde nasce Guido, seu quarto filho (novembro).	Em janeiro, Engels retorna a Colônia. Em maio, toma parte militarmente na resistência à reação. À frente de um batalhão de operários, entra em Elberfeld, motivo pelo qual sofre sanções legais por parte das autoridades prussianas, enquanto Marx é convidado a deixar o país. É publicado o último número do *Neue Rheinische Zeitung*. Marx e Engels vão para o sudoeste da Alemanha, onde Engels envolve-se no levante de Baden-Palatinado, antes de seguir para Londres.	Proudhon publica *Les confessions d'un révolutionnaire* [As confissões de um revolucionário]. A Hungria proclama sua independência da Áustria. Após período de refluxo, reorganiza-se no fim do ano, em Londres, o Comitê Central da Liga dos Comunistas, com a participação de Marx e Engels.
1850	Ainda em dificuldades financeiras, organiza a ajuda aos emigrados alemães. A Liga dos Comunistas reorganiza as sessões locais e é fundada a Sociedade Universal dos Comunistas Revolucionários, cuja liderança logo se fraciona. Edita em Londres a *Neue Rheinische Zeitung* [Nova Gazeta Renana], revista de economia política, bem como *Lutas de classe na França* [*Die Klassenkämpfe in Frankreich*]. Morre o filho Guido.	Publica *A guerra dos camponeses na Alemanha* [*Der deutsche Bauernkrieg*]. Em novembro, retorna a Manchester, onde viverá por vinte anos, e às suas atividades na Ermen & Engels; o êxito nos negócios possibilita ajudas financeiras a Marx.	Abolição do sufrágio universal na França.
1851	Continua em dificuldades, mas, graças ao êxito dos negócios de Engels em Manchester, conta com ajuda financeira. Dedica-se intensamente aos estudos de economia na biblioteca do Museu Britânico. Aceita o convite de trabalho do *New York Daily Tribune*, mas é Engels quem envia os primeiros textos, intitulados	Engels, ao lado de Marx, começa a colaborar com o Movimento Cartista [Chartist Movement]. Estuda língua, história e literatura eslava e russa.	Na França, golpe de Estado de Luís Bonaparte. Realização da primeira Exposição Universal, em Londres.

	Karl Marx	Friedrich Engels	Fatos históricos
	"Contrarrevolução na Alemanha", publicados sob a assinatura de Marx. Hermann Becker publica em Colônia o primeiro e único tomo dos *Ensaios escolhidos de Marx*. Nasce Francisca (28 de março), a quinta de seus filhos.		
1852	Envia ao periódico *Die Revolution*, de Nova York, uma série de artigos sobre *O 18 de brumário de Luís Bonaparte* [*Der achtzehnte Brumaire des Louis Bonaparte*]. Sua proposta de dissolução da Liga dos Comunistas é acolhida. A difícil situação financeira é amenizada com o trabalho para o *New York Daily Tribune*. Morre a filha Francisca, nascida um ano antes.	Publica *Revolução e contrarrevolução na Alemanha* [*Revolution und Konterevolution in Deutschland*]. Com Marx, elabora o panfleto *O grande homem do exílio* [*Die grossen Männer des Exils*] e uma obra, hoje desaparecida, chamada *Os grandes homens oficiais da Emigração*; nela, atacam os dirigentes burgueses da emigração em Londres e defendem os revolucionários de 1848-1849. Expõem, em cartas e artigos conjuntos, os planos do governo, da polícia e do judiciário prussianos, textos que teriam grande repercussão.	Luís Bonaparte é proclamado imperador da França, com o título de Napoleão Bonaparte III.
1853	Marx escreve, tanto para o *New York Daily Tribune* quanto para o *People's Paper*, inúmeros artigos sobre temas da época. Sua precária saúde o impede de voltar aos estudos econômicos interrompidos no ano anterior, o que faria somente em 1857. Retoma a correspondência com Lassalle.	Escreve artigos para o *New York Daily Tribune*. Estuda persa e a história dos países orientais. Publica, com Marx, artigos sobre a Guerra da Crimeia.	A Prússia proíbe o trabalho para menores de 12 anos.
1854	Continua colaborando com o *New York Daily Tribune*, dessa vez com artigos sobre a revolução espanhola.		
1855	Começa a escrever para o *Neue Oder Zeitung*, de Breslau, e segue como colaborador do *New York Daily Tribune*. Em 16 de janeiro, nasce Eleanor, sua sexta filha, e em 6 de abril morre Edgar, o terceiro.	Escreve uma série de artigos para o periódico *Putman*.	Morte de Nicolau I, na Rússia, e ascensão do czar Alexandre II.
1856	Ganha a vida redigindo artigos para jornais. Discursa sobre o progresso técnico e a revolução proletária em uma festa do *People's Paper*. Estuda a história e a civilização dos povos eslavos. A esposa Jenny recebe uma herança da mãe, o que permite que a família se mude para um apartamento mais confortável.	Acompanhado da mulher, Mary Burns, Engels visita a terra natal dela, a Irlanda.	Morrem Max Stirner e Heinrich Heine. Guerra franco-inglesa contra a China.
1857	Retoma os estudos sobre economia política, por considerar iminente uma nova crise econômica europeia.	Adoece gravemente em maio. Analisa a situação no Oriente Médio, estuda a questão eslava e	O divórcio, sem necessidade de aprovação

	Karl Marx	Friedrich Engels	Fatos históricos
	Fica no Museu Britânico das nove da manhã às sete da noite e trabalha madrugada adentro. Só descansa quando adoece e aos domingos, nos passeios com a família em Hampstead. O médico o proíbe de trabalhar à noite. Começa a redigir os manuscritos que viriam a ser conhecidos como *Grundrisse der Kritik der Politischen Ökonomie* [Esboços de uma crítica da economia política], e que servirão de base à obra *Para a crítica da economia política* [*Zur Kritik der Politischen Ökonomie*]. Escreve a célebre *Introdução de 1857*. Continua a colaborar no *New York Daily Tribune*. Escreve artigos sobre Jean-Baptiste Bernadotte, Simón Bolívar, Gebhard Blücher e outros na *New American Encyclopaedia* [Nova Enciclopédia Americana]. Atravessa um novo período de dificuldades financeiras e tem um novo filho, natimorto.	aprofunda suas reflexões sobre temas militares. Sua contribuição para a *New American Encyclopaedia* [Nova Enciclopédia Americana], versando sobre as guerras, faz de Engels um continuador de Von Clausewitz e um precursor de Lenin e Mao Tsé-Tung. Continua trocando cartas com Marx, discorrendo sobre a crise na Europa e nos Estados Unidos.	parlamentar, se torna legal na Inglaterra.
1858	O *New York Daily Tribune* deixa de publicar alguns de seus artigos. Marx dedica-se à leitura de *Ciência da lógica* [*Wissenschaft der Logik*] de Hegel. Agravam-se os problemas de saúde e a penúria.	Engels dedica-se ao estudo das ciências naturais.	Morre Robert Owen.
1859	Publica em Berlim *Para a crítica da economia política*. A obra só não fora publicada antes porque não havia dinheiro para postar o original. Marx comentaria: "Seguramente é a primeira vez que alguém escreve sobre o dinheiro com tanta falta dele". O livro, muito esperado, foi um fracasso. Nem seus companheiros mais entusiastas, como Liebknecht e Lassalle, o compreenderam. Escreve mais artigos no *New York Daily Tribune*. Começa a colaborar com o periódico londrino *Das Volk*, contra o grupo de Edgar Bauer. Marx polemiza com Karl Vogt (a quem acusa de ser subsidiado pelo bonapartismo), Blind e Freiligrath.	Faz uma análise, com Marx, da teoria revolucionária e suas táticas, publicada em coluna do *Das Volk*. Escreve o artigo "Po und Rhein" [Pó e Reno], em que analisa o bonapartismo e as lutas liberais na Alemanha e na Itália. Enquanto isso, estuda gótico e inglês arcaico. Em dezembro, lê o recém-publicado *A origem das espécies* [*The Origin of Species*], de Darwin.	A França declara guerra à Áustria.
1860	Vogt começa uma série de calúnias contra Marx, e as querelas chegam aos tribunais de Berlim e Londres. Marx escreve *Herr Vogt* [Senhor Vogt].	Engels vai a Barmen para o sepultamento de seu pai (20 de março). Publica a brochura *Savoia, Nice e o Reno* [*Savoyen, Nizza und der Rhein*], polemizando com	Giuseppe Garibaldi toma Palermo e Nápoles.

	Karl Marx	Friedrich Engels	Fatos históricos
	Marx escreve *Herr Vogt* [Senhor Vogt].	Lassalle. Continua escrevendo para vários periódicos, entre eles o *Allgemeine Militar Zeitung*. Contribui com artigos sobre o conflito de secessão nos Estados Unidos no *New York Daily Tribune* e no jornal liberal *Die Presse*.	
1861	Enfermo e depauperado, Marx vai à Holanda, onde o tio Lion Philiph concorda em adiantar-lhe uma quantia, por conta da herança de sua mãe. Volta a Berlim e projeta com Lassalle um novo periódico. Reencontra velhos amigos e visita a mãe em Trier. Não consegue recuperar a nacionalidade prussiana. Regressa a Londres e participa de uma ação em favor da libertação de Blanqui. Retoma seus trabalhos científicos e a colaboração com o *New York Daily Tribune* e o *Die Presse* de Viena.		Guerra civil norte-americana. Abolição da servidão na Rússia.
1862	Trabalha o ano inteiro em sua obra científica e encontra-se várias vezes com Lassalle para discutirem seus projetos. Em suas cartas a Engels, desenvolve uma crítica à teoria ricardiana sobre a renda da terra. O *New York Daily Tribune*, justificando-se com a situação econômica interna norte-americana, dispensa os serviços de Marx, o que reduz ainda mais seus rendimentos. Viaja à Holanda e a Trier, e novas solicitações ao tio e à mãe são negadas. De volta a Londres, tenta um cargo de escrevente da ferrovia, mas é reprovado por causa da caligrafia.		Nos Estados Unidos, Lincoln decreta a abolição da escravatura. O escritor Victor Hugo publica *Les misérables* [Os miseráveis].
1863	Marx continua seus estudos no Museu Britânico e se dedica também à matemática. Começa a redação definitiva de *O capital* [*Das Kapital*] e participa de ações pela independência da Polônia. Morre sua mãe (novembro), deixando-lhe algum dinheiro como herança.	Morre, em Manchester, Mary Burns, companheira de Engels (6 de janeiro). Ele permaneceria morando com a cunhada Lizzie. Esboça, mas não conclui um texto sobre rebeliões camponesas.	
1864	Malgrado a saúde, continua a trabalhar em sua obra científica. É convidado a substituir Lassalle (morto em duelo) na Associação Geral dos Operários Alemães. O cargo, entretanto, é ocupado por Becker. Apresenta o projeto e o estatuto de uma Associação	Engels participa da fundação da Associação Internacional dos Trabalhadores, depois conhecida como a Primeira Internacional. Torna-se coproprietário da Ermen & Engels. No segundo semestre, contribui, com Marx, para o *Sozial-Demokrat*, periódico da	Dühring traz a público seu *Kapital und Arbeit* [Capital e trabalho]. Fundação, na Inglaterra, da Associação Internacional dos Trabalhadores.

	Karl Marx	**Friedrich Engels**	**Fatos históricos**
	Internacional dos Trabalhadores, durante encontro internacional no Saint Martin's Hall de Londres. Marx elabora o "Manifesto de Inauguração da Associação Internacional dos Trabalhadores".	social-democracia alemã que populariza as ideias da Internacional na Alemanha.	É reconhecido o direito a férias na França. Morre Wilhelm Wolff, amigo íntimo de Marx, a quem é dedicado *O capital*.
1865	Conclui a primeira redação de *O capital* e participa do Conselho Central da Internacional (setembro), em Londres. Marx escreve *Salário, preço e lucro* [*Lohn, Preis und Profit*]. Publica no *Sozial-Demokrat* uma biografia de Proudhon, morto recentemente. Conhece o socialista francês Paul Lafargue, seu futuro genro.	Recebe Marx em Manchester. Ambos rompem com Schweitzer, diretor do *Sozial-Demokrat*, por sua orientação lassalliana. Suas conversas sobre o movimento da classe trabalhadora na Alemanha resultam em um artigo para a imprensa. Engels publica *A questão militar na Prússia e o Partido Operário Alemão* [*Die preussische Militärfrage und die deutsche Arbeiterpartei*].	Assassinato de Lincoln. Proudhon publica *De la capacité politique des classes ouvrières* [A capacidade política das classes operárias]. Morre Proudhon.
1866	Apesar dos intermináveis problemas financeiros e de saúde, Marx conclui a redação do Livro I de *O capital*. Prepara a pauta do primeiro Congresso da Internacional e as teses do Conselho Central. Pronuncia discurso sobre a situação na Polônia.	Escreve a Marx sobre os trabalhadores emigrados da Alemanha e pede a intervenção do Conselho Geral da Internacional.	Na Bélgica, é reconhecido o direito de associação e a férias. Fome na Rússia.
1867	O editor Otto Meissner publica, em Hamburgo, o primeiro volume de *O capital*. Os problemas de Marx o impedem de prosseguir no projeto. Redige instruções para Wilhelm Liebknecht, recém-ingressado na Dieta prussiana como representante social-democrata.	Engels estreita relações com os revolucionários alemães, especialmente Liebknecht e Bebel. Envia carta de congratulações a Marx pela publicação do Livro I de *O capital*. Estuda as novas descobertas da química e escreve artigos e matérias sobre *O capital*, com fins de divulgação.	
1868	Piora o estado de saúde de Marx, e Engels continua ajudando-o financeiramente. Marx elabora estudos sobre as formas primitivas de propriedade comunal, em especial sobre o *mir* russo. Corresponde-se com o russo Danielson e lê Dühring. Bakunin se declara discípulo de Marx e funda a Aliança Internacional da Social--Democracia. Casamento da filha Laura com Lafargue.	Engels elabora uma sinopse do Livro I de *O capital*.	Em Bruxelas, acontece o Congresso da Associação Internacional dos Trabalhadores (setembro).
1869	Liebknecht e Bebel fundam o Partido Operário Social--Democrata alemão, de linha marxista. Marx, fugindo das polícias da Europa continental, passa a viver em Londres com a família, na mais absoluta miséria. Continua os trabalhos para o segundo livro de *O*	Em Manchester, dissolve a empresa Ermen & Engels, que havia assumido após a morte do pai. Com um soldo anual de 350 libras, auxilia Marx e sua família. Mantém intensa correspondência com Marx. Começa a contribuir com o *Volksstaat*, o órgão de imprensa do	Fundação do Partido Social-Democrata alemão. Congresso da Primeira Internacional na Basileia, Suíça.

	Karl Marx	Friedrich Engels	Fatos históricos
	capital. Vai a Paris sob nome falso, onde permanece algum tempo na casa de Laura e Lafargue. Mais tarde, acompanhado da filha Jenny, visita Kugelmann em Hannover. Estuda russo e a história da Irlanda. Corresponde-se com De Paepe sobre o proudhonismo e concede uma entrevista ao sindicalista Haman sobre a importância da organização dos trabalhadores.	Partido Social-Democrata alemão. Escreve uma pequena biografia de Marx, publicada no *Die Zukunft* (julho). É lançada a primeira edição russa do *Manifesto Comunista*. Em setembro, acompanhado de Lizzie, Marx e Eleanor, visita a Irlanda.	
1870	Continua interessado na situação russa e em seu movimento revolucionário. Em Genebra, instala-se uma seção russa da Internacional, na qual se acentua a oposição entre Bakunin e Marx, que redige e distribui uma circular confidencial sobre as atividades dos bakunistas e sua aliança. Redige o primeiro comunicado da Internacional sobre a guerra franco-prussiana e exerce, a partir do Conselho Central, uma grande atividade em favor da República francesa. Por meio de Serrailler, envia instruções para os membros da Internacional presos em Paris. A filha Jenny colabora com Marx em artigos para *A Marselhesa* sobre a repressão dos irlandeses por policiais britânicos.	Engels escreve *História da Irlanda* [*Die Geschichte Irlands*]. Começa a colaborar com o periódico inglês *Pall Mall Gazette*, discorrendo sobre a guerra franco-prussiana. Deixa Manchester em setembro, acompanhado de Lizzie, e instala-se em Londres para promover a causa comunista. Lá, continua escrevendo para o *Pall Mall Gazette*, dessa vez sobre o desenvolvimento das oposições. É eleito por unanimidade para o Conselho Geral da Primeira Internacional. O contato com o mundo do trabalho permitiu a Engels analisar, em profundidade, as formas de desenvolvimento do modo de produção capitalista. Suas conclusões seriam utilizadas por Marx em *O capital*.	Na França, são presos membros da Internacional Comunista. Em 22 de abril, nasce Vladimir Lenin.
1871	Atua na Internacional em prol da Comuna de Paris. Instrui Frankel e Varlin e redige o folheto *Der Bürgerkrieg in Frankreich* [*A guerra civil na França*]. É violentamente atacado pela imprensa conservadora. Em setembro, durante a Internacional em Londres, é reeleito secretário da seção russa. Revisa o Livro I de *O capital* para a segunda edição alemã.	Prossegue suas atividades no Conselho Geral e atua junto à Comuna de Paris, que instaura um governo operário na capital francesa entre 26 de março e 28 de maio. Participa com Marx da Conferência de Londres da Internacional.	A Comuna de Paris, instaurada após a revolução vitoriosa do proletariado, é brutalmente reprimida pelo governo francês. Legalização das trade unions na Inglaterra.
1872	Acerta a primeira edição francesa de *O capital* e recebe exemplares da primeira edição russa, lançada em 27 de março. Participa dos preparativos do V Congresso da Internacional em Haia, quando se decide a transferência do Conselho Geral da organização para Nova York. Jenny, a filha mais velha, casa-se com o socialista Charles Longuet.	Redige com Marx uma circular confidencial sobre supostos conflitos internos da Internacional, envolvendo bakunistas na Suíça, intitulado *As pretensas cisões na Internacional* [*Die angeblichen Spaltungen in der Internationale*]. Ambos intervêm contra o lassalianismo na social-democracia alemã e escrevem um prefácio para a nova edição alemã do *Manifesto Comunista*. Engels participa do Congresso da Associação Internacional dos Trabalhadores.	Morrem Ludwig Feuerbach e Bruno Bauer. Bakunin é expulso da Internacional no Congresso de Haia.

	Karl Marx	Friedrich Engels	Fatos históricos
1873	Impressa a segunda edição de *O capital* em Hamburgo. Marx envia exemplares a Darwin e Spencer. Por ordens de seu médico, é proibido de realizar qualquer tipo de trabalho.	Com Marx, escreve para periódicos italianos uma série de artigos sobre as teorias anarquistas e o movimento das classes trabalhadoras.	Morre Napoleão III. As tropas alemãs se retiram da França.
1874	É negada a Marx a cidadania inglesa, "por não ter sido fiel ao rei". Com a filha Eleanor, viaja a Karlsbad para tratar da saúde numa estação de águas.	Prepara a terceira edição de *A guerra dos camponeses alemães.*	Na França, são nomeados inspetores de fábricas e é proibido o trabalho em minas para mulheres e menores.
1875	Continua seus estudos sobre a Rússia. Redige observações ao Programa de Gotha, da social--democracia alemã.	Por iniciativa de Engels, é publicada *Crítica do Programa de Gotha* [*Kritik des Gothaer Programms*], de Marx.	Morre Moses Hess.
1876	Continua o estudo sobre as formas primitivas de propriedade na Rússia. Volta com Eleanor a Karlsbad para tratamento.	Elabora escritos contra Dühring, discorrendo sobre a teoria marxista, publicados inicialmente no *Vorwärts!* e transformados em livro posteriormente.	É fundado o Partido Socialista do Povo na Rússia. Crise na Primeira Internacional. Morre Bakunin.
1877	Marx participa de campanha na imprensa contra a política de Gladstone em relação à Rússia e trabalha no Livro II de *O capital.* Acometido novamente de insônias e transtornos nervosos, viaja com a esposa e a filha Eleanor para descansar em Neuenahr e na Floresta Negra.	Conta com a colaboração de Marx na redação final do *Anti--Dühring* [*Herrn Eugen Dühring's Umwälzung der Wissenschaft*]. O amigo colabora com o capítulo 10 da parte 2 ("Da história crítica"), discorrendo sobre a economia política.	A Rússia declara guerra à Turquia.
1878	Paralelamente ao Livro II de *O capital*, Marx trabalha na investigação sobre a comuna rural russa, complementada com estudos de geologia. Dedica-se também à *Questão do Oriente* e participa de campanha contra Bismarck e Lothar Bücher.	Publica o *Anti-Dühring* e, atendendo ao pedido de Wolhelm Bracke feito um ano antes, publica pequena biografia de Marx, intitulada *Karl Marx*. Morre Lizzie.	Otto von Bismarck proíbe o funcionamento do Partido Socialista na Prússia. Primeira grande onda de greves operárias na Rússia.
1879	Marx trabalha nos Livros II e III de *O capital.*		
1880	Elabora um projeto de pesquisa a ser executado pelo Partido Operário francês. Torna-se amigo de Hyndman. Ataca o oportunismo do periódico *Sozial-Demokrat* alemão, dirigido por Liebknecht. Escreve as *Randglossen zu Adolph Wagners Lehrbuch der politischen Ökonomie* [Glosas marginais ao tratado de economia política de Adolph Wagner]. Bebel, Bernstein e Singer visitam Marx em Londres.	Engels lança uma edição especial de três capítulos do *Anti-Dühring*, sob o título *Socialismo utópico e científico* [*Die Entwicklung des Socialismus Von der Utopie zur Wissenschaft*]. Marx escreve o prefácio do livro. Engels estabelece relações com Kautsky e conhece Bernstein.	Morre Arnold Ruge.

	Karl Marx	Friedrich Engels	Fatos históricos
1881	Prossegue os contatos com os grupos revolucionários russos e mantém correspondência com Zasulitch, Danielson e Nieuwenhuis. Recebe a visita de Kautsky. Jenny, sua esposa, adoece. O casal vai a Argenteuil visitar a filha Jenny e Longuet. Morre Jenny Marx.	Enquanto prossegue em suas atividades políticas, estuda a história da Alemanha e prepara *Labor Standard*, um diário dos sindicatos ingleses. Escreve um obituário pela morte de Jenny Marx (8 de dezembro).	Fundação da Federation of Labor Unions nos Estados Unidos. Assassinato do czar Alexandre II.
1882	Continua as leituras sobre os problemas agrários da Rússia. Acometido de pleurisia, visita a filha Jenny em Argenteuil. Por prescrição médica, viaja pelo Mediterrâneo e pela Suíça. Lê sobre física e matemática.	Redige com Marx um novo prefácio para a edição russa do *Manifesto Comunista*.	Os ingleses bombardeiam Alexandria e ocupam o Egito e o Sudão.
1883	A filha Jenny morre em Paris (janeiro). Deprimido e muito enfermo, com problemas respiratórios, Marx morre em Londres, em 14 de março. É sepultado no Cemitério de Highgate.	Começa a esboçar *A dialética da natureza* [*Dialektik der Natur*], publicada postumamente em 1927. Escreve outro obituário, dessa vez para a filha de Marx, Jenny. No sepultamento de Marx, profere o que ficaria conhecido como *Discurso diante da sepultura de Marx* [*Das Begräbnis von Karl Marx*]. Após a morte do amigo, publica uma edição inglesa do Livro I de *O capital*; imediatamente depois, prefacia a terceira edição alemã da obra e já começa a preparar o Livro II.	Implantação dos seguros sociais na Alemanha. Fundação de um partido marxista na Rússia e da Sociedade Fabiana, que mais tarde daria origem ao Partido Trabalhista na Inglaterra. Crise econômica na França; forte queda na Bolsa.
1884		Publica *A origem da família, da propriedade privada e do Estado* [*Der Ursprung der Familie, des Privateigentum und des Staates*].	Fundação da Sociedade Fabiana de Londres.
1885		Editado por Engels, é publicado o Livro II de *O capital*.	
1887		Karl Kautsky conclui o artigo "O socialismo jurídico", resposta de Engels a um livro do jurista Anton Menger, e o publica sem assinatura na *Neue Zeit*.	
1889			Funda-se em Paris a II Internacional.
1894		Também editado por Engels, é publicado o Livro III de *O capital*. O mundo acadêmico ignorou a obra por muito tempo, embora os principais grupos políticos logo tenham começado a estudá-la. Engels publica os textos	O oficial francês de origem judaica Alfred Dreyfus, acusado de traição, é preso. Protestos antissemitas multiplicam-se nas principais cidades francesas.

	Karl Marx	Friedrich Engels	Fatos históricos
		Contribuição à história do cristianismo primitivo [*Zur Geschischte des Urchristentums*] e *A questão camponesa na França e na Alemanha* [*Die Bauernfrage in Frankreich und Deutschland*].	
1895		Redige uma nova introdução para *As lutas de classes na França*. Após longo tratamento médico, Engels morre em Londres (5 de agosto). Suas cinzas são lançadas ao mar em Eastbourne. Dedicou-se até o fim da vida a completar e traduzir a obra de Marx, ofuscando a si próprio e a sua obra em favor do que ele considerava a causa mais importante.	Os sindicatos franceses fundam a Confederação Geral do Trabalho. Os irmãos Lumière fazem a primeira projeção pública do cinematógrafo.

COLEÇÃO MARX-ENGELS

O 18 de brumário de Luís Bonaparte
Karl Marx
Tradução de **Nélio Schneider**
Prólogo de **Herbert Marcuse**
Orelha de **Ruy Braga**

Anti-Dühring : a revolução da ciência segundo o senhor Eugen Dühring
Friedrich Engels
Tradução de **Nélio Schneider**
Apresentação de **José Paulo Netto**
Orelha de **Camila Moreno**

O capital: crítica da economia política
Livro I: *O processo de produção do capital*
Karl Marx
Tradução de **Rubens Enderle**
Textos introdutórios de **José Arthur Gianotti, Louis Althusser** e **Jacob Gorender**
Orelha de **Francisco de Oliveira**

O capital: crítica da economia política
Livro II: *O processo de circulação do capital*
Karl Marx
Edição de **Friedrich Engels**
Seleção de textos extras e tradução de **Rubens Enderle**
Prefácio de **Michael Heinrich**
Orelha de **Ricardo Antunes**

O capital: crítica da economia política
Livro III: *O processo global da produção capitalista*
Karl Marx
Edição de **Friedrich Engels**
Tradução de **Rubens Enderle**
Apresentação de **Marcelo Dias Carcanholo** e **Rosa Luxemburgo**
Orelha de **Sara Granemann**

Crítica da filosofia do direito de Hegel
Karl Marx
Tradução de **Rubens Enderle** e **Leonardo de Deus**
Prefácio de **Alysson Leandro Mascaro**

Crítica do Programa de Gotha
Karl Marx
Tradução de **Rubens Enderle**
Prefácio de **Michael Löwy**
Orelha de **Virgínia Fontes**

Os despossuídos: debates sobre a lei referente ao furto de madeira
Karl Marx
Tradução de **Mariana Echalar** e **Nélio Schneider**
Prefácio de **Daniel Bensaïd**
Orelha de **Ricardo Prestes Pazello**

Diferença entre a filosofia da natureza de Demócrito e a de Epicuro
Karl Marx
Tradução de **Nélio Schneider**
Apresentação de **Ana Selva Albinati**
Orelha de **Rodnei Nascimento**

Grundrisse: manuscritos econômicos de 1857-1858 – Esboços da crítica da economia política
Karl Marx
Tradução de **Mario Duayer** e **Nélio Schneider,** com **Alice Helga Werner** e **Rudiger Hoffman**
Apresentação de **Mario Duayer**
Orelha de **Jorge Grespan**

A guerra civil na França
Karl Marx
Tradução de **Rubens Enderle**
Apresentação de **Antonio Rago Filho**
Orelha de **Lincoln Secco**

A ideologia alemã
Karl Marx e **Friedrich Engels**
Tradução de **Rubens Enderle, Nélio Schneider** e **Luciano Martorano**
Apresentação de **Emir Sader**
Orelha de **Leandro Konder**

Lutas de classes na Alemanha
Karl Marx e **Friedrich Engels**
Tradução de **Nélio Schneider**
Prefácio de **Michael Löwy**
Orelha de **Ivo Tonet**

As lutas de classes na França de 1848 a 1850
Karl Marx
Tradução de **Nélio Schneider**
Prefácio de **Friedrich Engels**
Orelha de **Caio Navarro de Toledo**

Lutas de classes na Rússia
Textos de **Karl Marx** e **Friedrich Engels**
Organização e introdução de **Michael Löwy**
Tradução de **Nélio Schneider**
Orelha de **Milton Pinheiro**

Manifesto Comunista
Karl Marx e **Friedrich Engels**
Tradução de **Ivana Jinkings** e **Álvaro Pina**
Introdução de **Osvaldo Coggiola**
Orelha de **Michael Löwy**

Manuscritos econômico-filosóficos
Karl Marx
Tradução e apresentação de **Jesus Ranieri**
Orelha de **Michael Löwy**

Miséria da filosofia: resposta à Filosofia da Miséria, do sr. Proudhon
Karl Marx
Tradução de **José Paulo Netto**
Orelha de **João Antônio de Paula**

A origem da família, da propriedade privada e do Estado
Friedrich Engels
Tradução de **Nélio Schneider**
Prefácio de **Alysson Leandro Mascaro**
Posfácio de **Marília Moschkovich**
Orelha de **Clara Araújo**

A sagrada família : ou A crítica da Crítica crítica contra Bruno Bauer e consortes
Karl Marx e **Friedrich Engels**
Tradução de **Marcelo Backes**
Orelha de **Leandro Konder**

A situação da classe trabalhadora na Inglaterra
Friedrich Engels
Tradução de **B. A. Schumann**
Apresentação de **José Paulo Netto**
Orelha de **Ricardo Antunes**

Sobre a questão da moradia
Friedrich Engels
Tradução de **Nélio Schneider**
Orelha de **Guilherme Boulos**

Sobre a questão judaica
Karl Marx
Inclui as cartas de Marx a Ruge publicadas nos *Anais Franco-Alemães*
Tradução de **Nélio Schneider** e **Wanda Caldeira Brant**
Apresentação e posfácio de **Daniel Bensaïd**
Orelha de **Arlene Clemesha**

Sobre o suicídio
Karl Marx
Tradução de **Rubens Enderle** e **Francisco Fontanella**
Prefácio de **Michael Löwy**
Orelha de **Rubens Enderle**

O socialismo jurídico
Friedrich Engels
Tradução de **Livia Cotrim** e **Márcio Bilharinho Naves**
Prefácio de **Márcio Naves**
Orelha de **Alysson Mascaro**

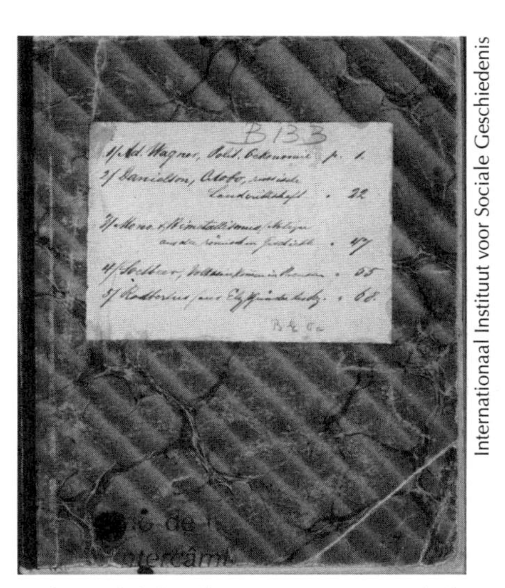

Caderno de Marx de 1880-1883, no qual ele redigiu as "Glosas marginais" que constam neste volume.

Publicado 140 anos depois da redação de "Glosas marginais ao *Tratado de economia política* de Adolph Wagner", este livro foi composto em Optima 10/12,7 e Palatino 11/14,6 e impresso em papel Avena 80 g/m², na gráfica Rettec, para a Boitempo, em fevereiro de 2020, com tiragem de 3.000 exemplares.